國立成功大學中國文學研究所
碩博士論文總目提要
（1987～2003）

國立成功大學中國文學研究所編印

臺灣臺南

2004.04

《國立成功大學中國文學研究所碩博士論文總目提要》序

本系創始於民國四十五年，近三十年未設研究所。七十四年文學院增設歷史語言研究所，其中語言組即屬中文所之前身。八十年正式設立中國文學研究所碩士班，八十四年增設博士班，九十年奉准成立在職進修碩士班。自第一屆碩士研究生於七十六年畢業以來，至今年七月底止，已獲得本系碩士學位者（含歷史語言研究所）凡一五七人，獲得本系博士學位者凡八人，共一六五人。另外，在學博士生三十三人，在學碩士生（含專班）六十二人；九十二學年度九月又將有博士生八人，碩士一般生及專班生三十六人，前來攻讀碩博士學位。

在碩博士班畢業人數穩定成長之餘，對本系所之畢業論文進行回顧式的呈現，確有必要。碩士博士學位論文的搜集和陳列，除了國家圖書館、政治大學社會科學資料中心外，本校總圖書館、系史室雖皆有典藏，然門類龐雜，卷帙浩繁，翻檢費時，借閱不易。於是與系史室籌備委員兼召集人江建俊教授商議，略仿《四庫全書總目提要》、國家圖書館《全國碩博士論文》摘要與目次諸例，編纂本系所《博碩士論文總目提要》。諸論文綱要既經提挈，其中之優劣得失不難借鏡。由此參考觸發，其則不遠；學問雖千門萬戶，即器求道，從中可悟途徑。結合讀書工具和研究指南而一之，讓本《提要》具有「即類求書，因書究學」的目錄學功能，這是我們最原始的企圖。數十百年後，若有人欲「辨章學術，考鏡淵流」，對本系所師生作一個案探討，則本《提要》之編纂，不可謂徒然。

中國文學研究所雖取名「文學」，然探討範圍實不限於文學，其外緣之概念實近似「文化」。就本所《總目提要》看來，中國古代學術所謂經史子集四部之學，除史學選題稍少外，經學哲學文學要皆兼容並顧，何曾偏廢？就碩士論文之選題言，經學研究之論文有 10 部，語言文字學之論文凡 33 部，史學論文 2 部，傳說故事 4 部，思想類論文 24 部（其中先秦 4，魏晉 9，唐宋 3，明清 7，近代 2）；文學類論文最多，凡 64 部（其中古文 2，辭賦 8，古典詩 20，唐宋詞 2，古典小說 5，臺灣文學 18，戲曲 11，文學理論 9）。其他，敦煌學 4，美學 2，民俗 2，書法 1。博士論文，則思想義理類論文 3 部，古典詩詞 2 部，臺灣文學 3 部。由碩博士論文之選題，可見十六年以來本所研究之趨向和焦點。

一部碩士論文，在教授悉心指導，研究生全力以赴下，理應有相當的學術價值。筆者以為：碩士論文是研究潛力之試金石，是學術工程的樣品屋，是進修博士的敲門磚，也是高階研究的里程碑。一位碩士生是否為理想之研究人材？從學位論文之優劣高下可以看出端倪。博士論文的完成，只不過宣示一位研究新秀的誕生，至於治學視野之拓展，研究方法之講究，研究心得之精進，研究成果之卓犖，在在都是橫在當下面前之萬水千山，等待你去橫渡翻越。換言之，博士後之研究，學者專家的嚴謹訓練才算正式開始；從此之後，你必須走自己的路，必須具備獨立研究的能力。你是否能優游自得於研究之海洋？你是否能從容攀登學術之高峰？博士後的五至十年內，是影響一生的黃金期，最好能及早規畫，戮力體現。

學術論文的品質，主要以研究成果的優劣高下作為衡量準據。筆者發現：論文選題的大小、精粗、生熟、偏正，都足以影響研究之成果。由於論文選題決定了研究的方向、焦點、進程，和指標，同時又是研究材料、研究觀點、研究方法、研究心得的具體而微呈現；因此，論文選題的抉擇，應該審慎而週到。它，雖是「小問題」，卻是論文成敗高下的「大關鍵」。唯有論文選題不錯，研究成果才有可能美好。理想的論文選題，以追求創意為前提，以獲得優越的學術成果為依歸。筆者以為：研究成果追求原創卓越，可以有三大途徑：其一，文本材料之生新；其二，研究方法之講究；其三，探討觀點之轉換。其中原委，請參考拙作〈論文選題與學術研究〉（《國文天地》18卷12期，92年5月）、〈五十年來臺灣《春秋》經傳研究之回顧與展望〉，此處從略。

教育部為提昇國際競爭力，先後遴選重點大學、及研究型大學，本校均列名其中。上海復旦大學將兩岸三地大學排名，本校名列第十一；全臺大學排名，則名列第二。為因應本校定位為「研究型大學」之政策，本系教師熱心投入研究，成果十分豐碩。以國科會專題研究計畫核定而言，九十一學年度曾高達九案，名列全臺中文學門第三，僅次於臺大的十三案與中央研究院的十一案；若就本系三十分之九的教師通過率而言，則已超越臺大的五十七分之十三。九十一學年度全校系所評比，本系亦名列第五的佳績。本系教師在研究與教學方面的亮麗表現，由此可見一斑。師資之優良，課程之多元，學風之樸實，空間之幽雅，提供了絕佳的研習環境，筆者曾杜撰一聯迴文，所謂「我在成大，大成在我」，作為招生海報之主題，絕非虛浮誇大之言。《禮記·學記》不云乎：「雖有嘉肴，弗食，不知其旨也；雖有至道，弗學，不知其善也！」畢竟，師父領進門，修行在個人！祝願每位進入本所的研究生能確實「博習親師」，審慎「論學取友」；學成之日，能「知類通達，強立而不反」。那麼，「我在成大」的學術投資，將是他日「大成在我」的回饋和保證。《荀子·勸學》言：「玉在山而草木潤，淵生珠而崖不枯」，本所師生進年來研究的實力和潛力，消息盈虛皆將如實呈現於學位論文，和有關論著之中，可提供借鏡參考，攻錯觸發之用。後之視今，亦猶今之視昔。

本《總目提要》之如期編纂完成，首先得感謝江建俊教授，負責盡職籌劃系史室，不遺餘力搜羅教師及研究生論著，並協助主編本《提要》。其次，要感謝陳英梅、謝依婷、何美諭、胡豔惠四位研究生，在江老師指導下，對學位論文之提要及目次作必要之刪節，並製作總目及索引，附列通訊地址及聯絡電話。如此一來，本《提要》將不止是成果報告和研究指南而已，同時也是本所師生的聯誼寶鑑。書出有日，爰誌數語如上，是為序。

中國文學系
教授兼主任
張高評
二〇〇三·七·三十

國立成功大學中國文學研究所碩博士論文目錄

一、博士論文

二、碩士論文

三、附錄

D8901 國立成功大學中國文學系研究所博士論文

明末清初詩詞正變觀研究——以二陳、王、朱為對象之考察

中華民國八十九年
研究生：陳美朱
指導教授：廖美玉先生

提　要

　　本文是以明末清初的陳子龍、陳維崧、王士禛、朱彝尊四家作為考察對象，具體觀察明、清之際由詩詞創作與理論的正變觀念如何相互牽引、參證、離合乃至取捨的現象。在彼此互涉與對照中，呈現出跨越性的發展與演變。

　　全文共分七章：

　　第一章「緒論」，旨在說明本文的研究動機、時代斷限及以二陳、王、朱四家為研究對象的理由。

　　第二章「明清之際江浙文學環境及四家的文學因緣」，先概述明末清初江蘇、浙江兩地的詩詞唱和風氣，以了解四家詩詞活動的地緣背景。再由大體上勾勒出陳子龍與陳維崧的師承關係、陳子龍對王、朱二家的影響，以及清初陳、王、朱三家在詩詞上的互動往來情形，以呈顯四家在詩、詞理論及創作上的影響關係。

　　第三章「由復古與新變論陳子龍之詩詞正變觀」，則是以陳子龍對詩體與詞體的正變判別作為切入點，除了深入分析陳子龍對於明代復古詩理論的繼承與修正外，並詳細探究其在清代詩、詞理論及創作上所引發的討論與迴響。

　　第四章「由易詩為詞論陳維崧的詩詞正變觀」，除了深入分析陳維崧在創作上「易詩為詞」的背後因素外，並比較其在詩、詞理論與創作上的差異，以凸顯出其所以在清初詞壇的成就要比詩壇來得卓越的原因。此外，在明清之際的詩詞正變觀發展上，陳維崧以「為經為史，曰詩曰詞」的詞論與「易詩為詞」的創作成就，突破了以詩為正、以詞為變的傳統，賦予詞體亦具有詩體般的言志內容與社會價值取向。並由人的「性情」原本不一為著眼點，扭轉了詞體以婉約為正宗、以豪放為別調的成見。

　　第五章「由名家與大家之爭論王士禛的詩詞正變觀」，則是由「名家」與「大家」的角度，分析王士禛在清初詩、詞理論與創作的特點，並藉由「名家」與「大家」的論析，來探討王士禛的詩、詞正變觀及其捨詞不作的緣由。相較於陳子龍論詩以唐為正、以宋為變，並以正變定工拙的理論傾向，王士禛則以「分正變不分優劣」的開放態度，突破了前人論詩「以正變定工拙」的絕對化與狹隘性。

　　第六章「由醇雅詩論與雅正詞論探討朱彝尊的詩詞正變觀」，除了詳細論述朱彝尊的「醇雅」詩論與「雅正」詞論的重點外，對於「醇雅」詩論與「雅正」詞論的內在差異也有進一步的分析。此外，朱彝尊何以在詩壇上得以和王士禛分庭抗禮，在詞壇上何以能超越陽羨詞宗陳維崧，成為一代正宗，也是本章所探討的重點所在。

　　第七章「結論」，除了概述本文的研究心得外，也勾勒出後續研究的議題，期能作爲日後努力的方向。

目　次

陳美朱　通訊處：南投縣名間鄉東湖村 38 號
　　　　　電話：049-735111

D9001 國立成功大學中國文學研究所博士論文

戰後跨語一代小說家及其作品研究

中華民國九十年
研究生：余昭玟
指導教授：吳達芸先生

提　要

　　本論文題目爲《戰後跨語一代小說家及其作品研究》，正文總計約三十二萬字。所謂「跨越語言的一代」，是由林亨泰首先提出，一九六七年四月他向來台訪問的日本人高橋久晴介紹他們這群接受日文教育、用日文創作，而戰後必須改以中文創作的詩人，遂拈出「跨越語言的一代」一詞。本論文則以跨語一代作家中的小說家及其作品爲研究對象，主要者爲鍾肇政、鍾理和、吳濁流、林鍾隆、鄭煥、葉石濤、陳千武、張彥勳、李篤恭、廖清秀、文心、陳火泉、施翠峰、李榮春等十四位。其創作處於「戰鬥文藝」盛行的四、五〇年代，是日治以來新文學的斷層時期，本文將探討作家深受政治干預、語言轉換時所衍生的問題，試圖從時代、作家、作品三者著手來解析小說作品，最後評定其價值與影響，爲跨語一代小說家在文學史上找尋更準確的定位。

目　次

余昭玟　通訊處：高雄縣鳳山市新富路 468 巷 3 號
　　　　電話：07-7637065

D9002 國立成功大學中國文學研究所博士論文

台灣精神的回歸：六、七〇年代台灣現代詩風的轉折

中華民國九十年
研究生：阮美慧
指導教授：呂興昌先生

提　要

　　本文雖重在探究六、七〇年代台灣現代詩風的轉折，但就文學史發展的現象而言，前、後階段的發展軌跡亦是無法擺落。因此，本文真正牽涉到的研究時間，實際上，橫跨五〇至八〇年代，而對於本文論題的前因、後果探索，有助於我們更完整地了解六、七〇年代台灣現代詩風的「轉折」過程。是以，本文共分八章，除前言、結論之外，本論有六章，以及附錄台灣詩史年表初編。

目　次

阮美慧　通訊處：台中縣沙鹿鎮中山路紅竹巷 1-8 號
　　　　電話：04-6628062

D9003 國立成功大學中國文學研究所博士論文

陸世儀對道學工夫的體悟

中華民國九十年
研究生：莊進宗
指導教授：宋鼎宗先生

提　要

　　本文以「陸世儀對道學工夫的體悟」為題，來探討體驗在道學中的作用。共九章，附錄一至十二。

　　第一章「緒論」：桴亭之學著重體驗，他說：「體驗有得處皆是悟」，每每自述其悟道之樂。廿六歲的悟仁，廿七悟敬，三十悟理一分殊，卅八悟一貫，四十九悟性，更是他學術思想轉進的關鍵。

　　第二章「陸世儀的生平」：回顧以往論述桴亭的文獻資料，篇幅都不算長，對它的生平和學術，也都點到為止，以至於近代文史學界在引用桴亭之說時，有無法稱名道姓的現象。本文運用了桴亭現存的著作，以及包括《太倉州志》在內的十餘種方志，來呈現他刻苦勤勉的一生，並掌握他的學術思想的脈動。

　　第三章「陸世儀的著述」：桴亭的著作繁富，但時至今日已有部份未見傳本，並有一、二本偽託之作；代表作《思辨錄輯要》，也有版本的問題，本文都加以詳細考證。並列出桴亭未成之作。

　　第四章「陸世儀對仁與敬的體悟」：悟仁與敬的時間不但相近，也都是桴亭道學工夫的基礎。

　　第五章「陸世儀對理一分殊的體悟」：桴亭為理一分殊這個法則舉了大量的例證；並實地用來解決格致窮理的問題。

　　第六章「陸世儀的格致學」：桴亭既悟理一分殊，又透過真切的體驗工夫，面對古今各種學問，莫不窮究其理，而得其要領，造就了淵博的格致學。

　　第七章「陸世儀對一貫的體悟」：桴亭卅八悟得一貫的「貫通無礙」之義；至五十五歲提出「貫穿無遺」之主張，並有意以一貫做為他的學說的代表。

　　第八章「陸世儀對性的體悟」：桴亭參酌古今各家之說，加上個人長期的體驗，才悟得性學。他自述體驗的工夫有八層，也為學者提示盡性的工夫。

　　第九章「結論」：回顧本文各章節之重點所在。

目　次

莊進宗　通訊處：台南縣永康市復國二路 87 巷 37 號
　　　　電話：06-3138225

D9004 國立成功大學中國文學系研究所博士論文

日據時期台灣小說思想與書寫模式之研究（1920-1937）

中華民國九十年
研究生：賴松輝
指導教授：呂興昌、吳達芸先生

提　要

　　本篇論文以討論日據時期台灣小說的思想及書寫模式爲主，選錄的範圍從謝春木發表〈她要往何處去〉開始，到中日戰爭發生總督府禁止漢文小說的 1937 年爲止。

　　本篇小說討論以下的問題：

　　第一個問題、新小說的形式。歷來關於台灣新小說的出現，都是以新舊文學論戰的方式進行思考，新文學「取代」舊文學，新小說取代舊小說。但是在賴和〈一桿「秤」仔〉發表之前，許多刊物上的小說，都是借用了舊小說的形式，討論當時社會的問題，因此台灣新小說出現之前，應該有一段時期是借用舊小說形式承載新時代的內容，因此我們的第一個問題應該是舊小說如何轉變到新小說？它可能是這樣的一個問題，舊小說如何脫去舊有的形式，逐漸轉化爲新小說；也可以是，新小說中保留了哪些舊小說的形式。

　　第二個問題，日據小說的特色就是「寫實主義」小說，它有兩個特色，首先它採取白話文創作；其次，小說的「題材」屬於社會問題，具有社會現實性，因此被稱爲寫實主義小說。但是寫實小說是否能由題材決定呢？例如〈神秘的自制島〉題材描寫台灣現狀，諷刺台灣人安於六三法統治不知反抗，屬於現實的題材，屬於寓言，不是寫實小說。因此我們的問題，寫實小說應該以題材作標準？還是依據形式結構爲標準？還是根據左翼文論所說的，小說必須對現實進行批判，才是寫實？還是創作時，作者當時的感情投射入作品中，這就是真實。寫實概念在不同時期的有不同變化。

　　第三個問題，三〇年代中期以後，台灣文學評論家對於寫實小說的人物類型化、情節公式化、主題雷同，提出批評，小說創作者面對這些類型化小說的困局，在形式尋求突破，包括寫實小說本身的轉變，以及接受現代主義小說形式進入新的小說，突破了寫實主義強調的「因果關係」，隨著小說形式的陌生化，台灣小說進入現代主義時期。

目　次

賴松輝　通訊處：台南市富農街一段 199 巷 19 號 2 樓
　　　　電話：06-2605308

D9005 國立成功大學中國文學系研究所博士論文

李商隱詩用典析疑

中華民國九十年
研究生：吳榮富
指導教授：羅宗濤先生、梁冰枏先生

提　要

　　本文稱《李商隱詩用典析疑》，主要是採用「以典故為穴位，以文本為經絡」的理念，針對李商隱一些很有疑問的詩，研究其詩中的典故，放在整首詩的脈絡該如何作正確的詮釋。如「蓬山」在其詩中指何處？「吳王苑內花」是那一朵花？「神女」除了原典之外，還有多少變化？又如許多學者都認為李商隱與女道士有艷情，本文透過典故分析，結果證明其說不可信。

目　次

吳榮富　通訊處：台南市建平一街 217 號
　　　　　電話：06-2992246

D9006 國立成功大學中國文學系研究所博士論文

殖民地臺灣文化統合與臺灣傳統儒學社會（1895-1919）

中華民國九十年
研究生：川路祥代
指導教授：宋鼎宗先生

提　要

第一章，序論：說明研究動機與目的、研究課題與前人研究成果、研究方法以及研究架構。

第二章，「日本近代『敕語體制』」：本章從「公」觀念來探討「天皇（國家）－村落－家」各層次之「根本」特色，然後，探討日本近代天皇國家在「天皇（國家）－村落－家」各層次之「根本」上如何重新建立「儒學」秩序，企圖闡明日本近代儒學國家之特色。

第三章，「清領臺灣之鄉紳統合」：首先，從「朱學」角度來論述清領時期「臺灣儒學」之特色，然後，從「禮教」角度來討論臺灣鄉紳階層與中央政權如何產生相互交涉，最後，從「施善事業」角度來探討清領臺灣所建立的官紳合作關係，企圖闡述臺灣鄉紳階層在清領臺灣儒學社會中扮演的角色。

第四章，「日治臺灣之鄉紳統合」：首先，基於吳德功的話語來重新描述臺灣鄉紳之割臺經驗，然後，根據吳德功的話語來探討 1895－1900 之間臺灣鄉紳與日本殖民政權之間所發生的接觸、交涉以及合作，最後，討論兒玉政權如何利用「儒學」來統合鄉紳階層而得以重建日本統治體制下的臺灣傳統儒學社會。

第五章，「日治臺灣之教育統合」：首先，由討論臺灣總督府首任教育部長伊澤修二之「同化主義」來討論日本殖民政權之意識形態與臺灣傳統儒學社會如何相互交涉而產生變化，接著，從「漢文」與「修身」角度來探討日本殖民體制下的臺灣教育空間所產生的「統治者的意識形態」與「從屬者的意識形態」之相互交涉，最後，由探討 1910 年初臺籍教師、臺灣鄉紳所提倡的「同化」要求而企圖闡明臺灣知識份子如何利用「統治者的意識形態」來提出「權利要求」。

第六章，「1919 年臺灣之〈孔教論〉」：本章主要以《臺灣文藝叢誌》創刊號所刊登的 21 篇〈孔教論〉為研究對象，而透過這些「儒學話語」來企圖描寫 1919 年日本殖民體制下的臺灣傳統儒學社會，同時，探討臺灣鄉紳階層成立「臺灣文社」而形成全臺「鄉紳網路」所隱含之企圖。

第七章，結論：首先，綜觀從第二章到第六章討論內容，然後，分析本文之研究價值，最後，說明本文之後仍有可再發揮之處。

目　次

川路祥代　通訊處：台南市裕信路 423 號 9 樓之一
電話：06-3310534

D9101 國立成功大學中國文學系研究所博士論文

劉蕺山哲學思想研究

中華民國九十一年
研究生：陳立驤
指導教授：唐亦男先生

提　要

　　本文旨在對明末大儒劉蕺山（宗周）的哲學思想，作一研究，希望藉此：一來，能辨明他究係依何種「思路」，來看待天地萬物，以及來思維與表述其學；二來，也能將此研究成果，做爲筆者宋明理學分系問題研究的正式起點。

目　次

陳立驤　通訊處：高雄縣岡山鎮竹圍里東街 207 號 4 樓之一
　　　　　電話：07-6217243　0921-543854

M7601 國立成功大學歷史語言研究所中文組碩士論文

敦煌寫本高適詩研究

中華民國七十六年
研究生：施淑婷
指導教授：黃永武先生

提　要

　　清末敦煌出土三萬卷寫本中，有許多唐代留傳之手抄盛唐詩卷，最接近原作年代，極富校勘、輯佚、辨僞價值。目前所見，以高適詩最多，共見十三卷七十九題一〇四首。本文即以此爲題，欲藉敦煌寫本高適詩之研究，爲初學敦煌之入門。

　　本文除廣收異文以作「死校」外，復參以詩學、小學、美學、修辭學、作者生平及詩文等等作「活校」。歷時三載，屢易其稿，爲文計十五萬言，分例言、正文九章及附錄二種，分述於下：

　　例言：解說參校版本及行文之次第、符號、用語。

　　第一章緒論：論述敦煌寫本高適詩之價值、各家研究概況、本文研究範圍及方法。

　　第二章高適生平及其詩：探討高適之時代背景、生平仕履及詩歌之思想內容和藝術技巧。

　　第三章敦煌寫本高適詩敍錄：考定各寫本著錄高適詩之篇目、首數、體裁及意義。

　　第四章至第八章爲本文主題。自第四章至第七章專論今本見存之敦煌寫本高適詩，不僅探究異文是非，亦尋求致誤緣由。續以一章二節專論今本遺佚之詩篇，首節論確屬高適之詩作，次節論後人誤爲高適之詩作。

　　第九章結論：分藝術價值和史料價值綜述前文研究成果，肯定敦煌本在校勘、輯佚、辨僞之貢獻，確爲研究高適詩最寶貴之資料。

目　次

施淑婷　　通訊處：新竹市東區綠水里 10 鄰光復路 2 段 301 號 3F
　　　　　電話：（H）03-5728572　　（O）03-5186623、5186615 助理留言
　　　　　手機：0922-549831
　　　　　FAX：03-5186639 註明施淑婷老師
　　　　　Email：stshy@chu.edu.tw、88920012@cc.ntnu.edu.tw

M7602 國立成功大學歷史語言研究所中文組碩士論文

甲骨文句型類比研究

中華民國七十六年
研究生：曾德宜
指導教授：黃競新先生

提　要

　　句型研究可增強對句子意義的正確理解，歷來研究甲骨文語法者，大都偏重於文例及詞類的研究，而沒有對句型作全面的探討，因此本文撰寫的目的即在補充這方面的不足。

　　本文將甲骨文的一般句型依呂淑湘、許世瑛等語法學家的理論，分敘事、有無、表態、準判斷句等四部分論述，並將兩個以上的分句以某種關係結合成的句子，列複句一章討論。

　　此外甲骨文中特有的祭祀卜辭、句後卜辭、記載龜甲的乞取與致送的五種記事刻辭等三部份，則予以獨立敘述，以便了解甲骨文每一類型的用法與句型。

目　次

曾德宜　通訊處：桃園縣龜山鄉文安街 34 號 4F
　　　　電話：03-3588959　0915-727850
　　　服務地點：醒吾技術學院　02-26015310

M7603 國立成功大學歷史語言研究所中文組碩士論文

敦煌俗文學十六篇研究

中華民國七十六年
研究生：王玫珍
指導教授：黃永武先生

提　要

　　本論文就敦煌俗文學十六篇進行研究，共分五章凡十四節計十二萬餘字。第一章爲「緒論」。首節略述國內敦煌俗文學研究成績及本論文寫作動機。次節明析「敦煌俗文學十六篇」之界說，以別於敦煌變文之意。末節則就各篇內容與寫卷狀況，並參考俗講分化之大略年代，以探討各篇之成立時代。

　　第二章爲「敦煌俗文學十六篇產生背景」。乃探究敦煌俗文學十六篇之外緣因革。首先就時代背景，標舉宗教信仰之熱潮、政治情勢之混亂、順應唐市民意識、俗講與民間百戲競盛等四點，刺激敦煌俗文學十六篇之產生因素；再由民間文學之演變、白話小說之先驅等文學趨勢，作一探源溯流之研究。

　　第三章爲「內容分析」。首節臚列其取材來源，計有歷史故事、筆記舊籍、傳說附會、當時聞見四類，見其取材範圍之大。次節歸納其題材傾向，計有重言辯之風、表彰婦德、對寓言之愛好、地獄輪迴之宗教意識、獎善勸惡之旨、鬼神靈異之題材等項目，一一加以說明，以展現敦煌俗文學十六篇獨特風貌。

　　第四章爲「形式技巧研究」。乃以小說藝術角度，分析十六篇作品，披沙撿金，擇其優者，以明其初步具有白話小說特色。首節介紹其多變之形式，顯示嘗試創新之精神；次節就結構之兩類組成，臚列其佈局方式；三節就說講者之語言，與故事人物之對話語言，分析其語言特色；四節依其取材來源，論其人物之刻劃。末節則探究其藝術表現手法之運用。

　　第五章爲「敦煌俗文學十六篇之價值」。首節歸納其異乎前秀者四點，證其革新求變之精神；再據其形式結構，考究其對後代詞話、宋元話本、金院本之影響，以明其於中國文學史之地位。

目　次

王玫珍　通訊處：嘉義水源地 33-82 號
　　　　　電話：05-2764565　手機：0920537048

M7604 國立成功大學歷史語言研究所中文組碩士論文

南明遺民詩集敍錄

中華民國七十六年
研究生：許淑敏
指導教授：黃永武先生

提　　要

本文依次可分爲緒論、正文、結論三部份。

自序：說明題旨及研究動機、意義。

正文：始自曹學佺之曹學佺詩至姜實節之鶴澗先生遺詩止，凡六十四家。敘述方式如下：

作者部份：

一、基本資料：字號、籍里、生卒年等。

二、生平事蹟：官職（布衣者略）、抗淸事蹟、遊歷、師友、學術源流等。以陳述實事爲主。

三、著作介紹：包括詩、文、雜著等。

詩集部份：

一、版刻比較及流傳情形。

二、內容大要、卷數、目錄。

三、評論：以意象語言依分體、編年或綜合二者之方式加以評論，間或舉例說明。

附論：歸納南明遺民詩形成之因及其特色、影響，庶幾可達「以史論詩，以詩證史」之旨。

目　　次

許淑敏　通訊處：台北市師大路 159- 2 號 3F
　　　　　電話：02-23964142

M7701 國立成功大學中國歷史語言研究所中文組碩士論文

曾幾茶山集研究

中華民國七十七年
研究生：吳榮富
指導教授：黃永武先生

提　要

　　曾幾（西元一〇八四～一一六六），字吉甫，號茶山居士，卒後諡文清，是南宋「江西詩派」傳承上非常重要的人物，今有「茶山集」八卷傳世。

　　本文研究針對幾個要點，第一是曾幾的時代距今上千年，後人對其生平都不甚了解，因首先爲他整理傳記，作成年表。第二是曾氏本來有九百一十首詩，而今只剩五百六十首，遺失三百五十首，因此爲之校誤輯佚，得佚詩二十六首，佚句六、佚題十九題三十七首，第三探討其對江西詩法之承傳與影響，以明瞭其師友淵匯和自己之詩學心得。第四研究曾幾個人的獨特藝術風貌和技巧特色。

　　本文得到五點結論：一、是曾幾少時獨抱濟世安民之心，本無意做詩人，卻因國家遭遇外侮，其主戰意見又與主和派不合，因退隱於野，促成其爲一代大詩人。二、是其詩擅以淡雅之筆摹寫山水胸臆之清音，此和他隱於上饒茶山寺、按刑出守天台郡、晚年告老退居會稽禹跡寺關係最大。三、是呂本中創立江西詩派圖，但以黃山谷爲宗，曾幾始推杜甫爲初祖，蓋暗寓忠愛精神之詩教。四、曾幾詩之對仗藝術，特偏愛流水對，其技巧變化之繁多，迨可歎爲觀止。五、最後本文提出四點與近人不同之看法，（一）是許多文學史都說南末四大家皆是曾幾弟子，其實只有陸游、蕭東夫是。（二）證明清人說「江湖詩派專主曾茶山」非謬論。（三）從史實證明呂本中未選曾幾入宗派圖，並非理學上之不合。（四）主「活法」、「飽參」等理論，仍以讀書爲本，否定近人說只是教人專學禪師參公案而不用讀千首百首的說法。

目　次

吳榮富　通訊處：台南市建平一街 217 號
　　　　　電話：06-2992246

M7702 國立成功大學中國歷史語言研究所中文組碩士論文

文同詩畫之研究

中華民國七十七年
研究生：賴麗娟
指導教授：張高評先生

提　要

　　文同與可為「文湖州竹派」之宗師，因其寫竹獨樹一幟，故世但知其善墨竹，而不知其亦精他畫，故孫大雅云：「與可以竹掩畫」。實則，與可不僅能畫，亦精詩、楚辭、草書，此東坡所謂之「四絕」。其中尤以詩為四絕之首，惜世不之知。其實與可之詩，清新流麗，東坡每覽之，而有「筆墨欲焚」之語；楊慎亦稱：「置之開元諸公集中，殆不可別」，足見二人對與可詩歌評價之高。與可既以寫竹名世，且詩畫又為姊妹藝術，故欲研究其詩，自不可廢棄其畫，是以本論文稱「文同詩畫之研究」。期由研究與可之詩畫，以明詩畫滲透之一斑也。

　　本論文研究詩畫二暫，畫在前，詩在後，且詩歌之研究亦取與畫相關之詠畫題畫詩及詠物詩，故其次序亦有倫焉！斯文以四部叢刊本為基礎，採內證方式，冀藉與可之詩文，以觀其思想、為人，如此方能近其真而不失之偏也。

　　是文計二十五餘萬言，分序言、正文五章及附錄、附圖，茲分述如下：

　　序言：敘述研究動機、範圍、方法、歷程、價值及未來展望。

　　第一章文同生平、學術思想及簡譜：論述與可之家世、治績、專擅、學養、交遊及思想，從而編列簡譜，並將其詩文繪畫加以繫年。

　　第二章文同繪畫之造詣及其理論：探究與可繪畫造詣，凸顯其墨竹畫之特色與價值，並深究其著名畫論「胸有成竹」說，此外，並及其「病態創作」說、「形理兩全」說、「靈感」說三者，末則論述其墨竹對後世之影響。

　　第三章文同詠畫題畫詩之研究：是章首探討詠畫題畫詩之源流、次及其內容，其次探究其藝術技巧，且分「修辭技巧」、「謝赫〈六法〉」二者言之，末節則論述與可詠畫題畫詩之貢獻。

　　第四章文同詠物詩之研究：首釋「詠物詩」之名，次言其所歌詠之題材，接敘詠物詩之內容，終分十五目探究詠物詩之藝術技巧。

　　第五章結論：總結前四章，並約略探討與本題有關之田園詩、哲理詩、社會詩，期對與可詩作有通盤之了解也。

　　附錄：《丹淵集》外之佚詩、佚詞、佚文及異文：除輯與可《丹淵集》外之佚詩、佚詞、佚文及異文外，並論其價值。

　　附圖：文同《墨竹》軸、《墨竹》冊頁、柯敬仲臨文同之《墨竹圖》。

目　次

賴麗娟　通訊處：台南市安中路四段 329 巷 42 號
　　　　電話：06-2473512

M7703 國立成功大學中國歷史語言研究所中文組碩士論文

李覯生平及其富國思想之研究

中華民國七十七年
研究生：胡文豐
指導教授：葉政欣先生

提　要

　　本論文的研究目的擬就李覯文集中有關富國的材料，分成財政、農業、社會消費、社會救濟、經濟等五方面，探討李覯解決北宋時期社會經濟問題的主張。

　　在研究內容上，本論文計分成緒言、結論和正文五章。緒言闡述本論文寫作之動機與目的，以及前人研究的簡述、研究範圍與架構等；第一章探討李覯富國思想形成的歷史背景以及其思想淵源；第二章敘述李覯的生平、著作、現存李覯文集的刊本以及歷代有關李覯文集之公私藏書目錄；第三章則剖析李覯富國思想中有關財政、農業方面的主張；第四章則分析李覯富國思想中屬於社會、經濟方面的理念；第五章探討李覯富國思想的時代意義；結論總結各章作一結束。透過李覯富國主張的剖析，使後人能在一定程度內了解北宋仁宗時期所遭遇的社會、經濟等的困境。這是本研究論文的最終目的。

目　次

胡文豐　通訊處：台北市士林區中正路 617-1 號 4F
　　　　　電話：02-28124136

M7704 國立成功大學中國歷史語言研究所中文組碩士論文

秦書隸變研究

中華民國七十七年
研究生：謝宗炯
指導教授：周行之先生

提　要

　　秦國之統一過程，亦即漢文化之融合而形成之過程；秦書之隸變乃古今漢字之分水嶺。故華學涑云：「求文字古今變化之蛻跡必徵之於秦書。」隸變之事雖不獨啓於秦，然秦書毋寧爲最具關鍵性，而其篆隸關係允爲核心，是乃本文之所爲作也。

　　秦書即秦文物之書體（兼括統一前後）。隸變雖屬字形現象，然其現象總屬文字語言之一端，故本文於文字內外各項因素之互動關係尤措意焉；是以有「書體論」，分文字爲書寫性與符號性之兩面，別名之爲「書體」與「字體」，而以「書體」對「字體」之主導作用解釋形變；乃又有「穩定性」與「變動性」、「簡易律」與「區別律」之相對作用，是謂漢字形變之三重「二元性」，亦即本文之理論架構。用此理論以探秦書之隸變，故首啓「篆隸名稱及其關係」一節，所以即其名以探其實也。其次有「篆變」之說，因其與隸變相關，可以互證也。再次以「秦隸之起源及篆隸關係」即本文之重心；緣以秦書之隸變尚屬隸書起源階段，而其起源實在於篆隸之分合關係。又次「秦漢文字隸變規律」，則因秦書之材料尚非充分，非有較長期而廣面之觀察，仍不得察其演變趨向也。至於「書同文字」之論，則屬文字之政治性論題。末殿以「秦書之特質及於隸變中之地位」一節則屬結論，因其未作總括，故不標結論之名。以上各節所以與「書體論」相印證也；因此印證而成漢字形變規律之推論，則尤爲本文所企盼焉。

目　次

謝宗炯　通訊處：新竹市振興路 48 巷 15 弄 9 號 4F
　　　　電話：（H）03-5263994　　（O）03-5186627、5186615 助理留言
　　　　FAX：03-5186639 註明謝宗炯老師
　　　　Email：M2258M@ms32.hinet.net

M7705 國立成功大學中國歷史語言研究所碩士論文

蘇軾生平及其嶺南詩研究

中華民國七十七年
研究生：張尹炫
指導教授：張高評先生

提　要

本文壹冊，約十六餘萬言，前後分十章二十節。

首章「蘇東坡生平傳略」，約略介紹東坡生平事跡。

次章「東坡之思想與學術」，概述其言行及藝術成就，以爲風格研究的參考。

第三章「蘇詩源流與分期」，以李白、杜甫、韓愈、白居易爲主，剖析其影響蘇詩的程度，又就昔賢對蘇詩之分期，細加列表評析，歸納爲三個階段，而第三階段即本文之研究範圍。以下是嶺南詩的外緣研究，可作爲第四章以後研究嶺南詩知人論世的依據與背景研究的參考。

第四章「東坡嶺南詩與生活遭遇」，透過其嶺南生活內容，以參證嶺南詩。

第五章「東坡嶺南人〈和陶詩〉的造詣」，分別以其撰寫之動機、內容特色、藝術風格三端，詳爲論析，以見其價值所在。

第六章以下到第八章，分別根據作品的內緣研究，以探討其藝術成就，考竅其文學價值，論述嶺南寫景詩、禪道詩、感懷詩的特質與層面。

第九章「東坡對韓國文學之影響」，則以其影響韓國文壇方面，試爲評估，姑且作爲將來從事中韓比較文學的起步。

目　次

張尹炫　通訊處：韓國仁川市延壽區延壽洞宇成 1 次 APT101-1101
　　　　電話：032-8152327　手機：011-9276-4327
　　　　email：jangyunxyun@korea.com

M7801 國立成功大學歷史語言研究所碩士論文

葉石濤及其小說研究

中華民國七十八年
研究生：余昭玟
指導教授：吳達芸先生

提　要

　　葉石濤是台灣文壇的長青樹，從日據時代迄今，他一直在文壇屹立不墜。對筆者而言，想探究台灣文學的浩瀚內涵，葉石濤及其作品乃是最佳的入門途徑。因為葉石濤現居左營，可以就近請益；他的評論涵蓋了台灣文學以來的重要文學潮流，可以由此掌握台灣文學的精神；他有近百篇的短篇小說，藉此可以發掘其文學心靈。

　　本論文凡十二萬字，共分五章：

　　第一章：先追溯其祖系與家族性格，再闡述葉石濤的生平經歷，與他會走上作家之路的原因。

　　第二章：考察葉石濤文學觀念之淵源、其文學評論的思想內涵，及他會提出「三民主義文學」的關鍵所在。

　　第三章：綜論葉石濤小說所反映的四階段主題。與他所運用的五種表現「佯狂」主題的手法。

　　第四章：分析葉石濤小說的三類象徵，藉抽象世界與真實世界之間的對立關係，釐清葉石濤內在心境的演變。

　　第五章：評價葉石濤的小說、文學評論，並質疑其評論的兩種取向。

　　論文末附錄葉石濤寫作年表，將其半世紀來的寫作軌跡作一整理，呈現這位老作家的創作風貌。

目　次

余昭玫　通訊處：高雄縣鳳山市新富路 468 巷 3 號
　　　　電話：07-7637065

M7802 國立成功大學中國歷史語言研究所中文組碩士論文

敦煌寫卷書法研究

中華民國七十八年
研究生：焦明晨
指導教授：黃永武先生

提　要

　　本論文題目為：「敦煌寫卷書法研究」，主以書法美學角度，析研「敦煌石室」所出之寫卷真蹟。

　　文中揀選佳書四十三篇以為論述主要，時間可上起三國，下止唐初，一以時間先後為序，中則段分以朝代。

　　選篇原則有三：一、具題記年代者。二、具書法藝術價值者。三、具書法史意義者。本文分論文編與圖錄編二部。論文編乃文字論述部份，可謂主體，凡分五章：

　　第一章：緒論。概述研究動機、目的、範圍、方法、架構等事項。

　　第二章：魏晉南北朝寫卷之書法。此時因政治、經濟、社會、文化、宗教等，皆有密切關連，故採合論而序以時年，順觀書史流變。首概述書學狀況，復詳論寫卷之書法。

　　第三章：隋代寫卷之書法。此期合前政治分據，而歸一統。書法亦總南北之異，而融鑄新體，『楷書』新秀，乃克嶄露。亦首述書史，後論寫卷。

　　第四章：唐初寫卷之書法。唐初承晉風隋楷而光大之，楷書極度發展，遂呈黃金燦爛。然唐初之書，實乃隋書之延續，直可作隋書觀也。本文以時間之限，僅論至唐初，餘期來日以續成之也。亦先述書學，再論寫卷。

　　第五章：總結各項心得與發現。此乃總述本文研究敦煌寫卷書法之數項心得與發現，雖未敢稱即其意義與價值，然或有助乎「敦煌書法學」之瞭解與發展。分「書法史」與「書法藝術」二節敘之，其下又皆各有分論，以明其旨要云。圖錄編乃論文之所據，以屬圖版書蹟，故匯編於末，以為附錄。

　　若夫每篇述論體系，主為：一、首敘基本資料。二、次論該卷之書法藝術美學。三、再述其俗字使用情況。四、末則與近時書蹟、或同類書品作比較，以觀其優劣、意義價值、地位等。以上所述，乃本論文之體要大較也。

　　夫敦煌藝術寶藏，在於法書，不獨繪畫而已，觀乎本文之述論，當可知「敦煌書法」之應予重視與發皇！

目　次

焦明晨　通訊處：台北縣泰山鄉泰林路 2 段 414 巷 3 號 3 樓
　　　　電話：02-9095633

M7803 國立成功大學中國歷史語言研究所中文組碩士論文

韓駒詩箋注

中華民國七十八年
研究生：蔡美端
指導教授：黃永武先生

提　要

　　韓駒（約一○七五前後～一一三五），字子蒼，仙井監（四川仁壽縣人）人，世稱陵陽先生。韓駒乃宋朝南渡後詩壇盟主，惟時移世遷，後人罕聞。其〈贈趙伯魚〉詩開啟嚴羽禪悟說之先河，最爲後世所稱道。然韓駒之詩學淵源及詩歌評價，是非疑似之間猶存諸多爭議，頗值得廓清與研究。段玉裁曾云：「義理文章，未有不由考覈而得者。」（戴東原集序）。今爲正本清源計，決定從基本材料入手，爲韓駒詩作箋注，亦同此望。冀望自韓駒詩歌中了解其生平與交游，探討其詩風及思想，一則可與宋詩之特徵相互印證發明，二則可以澄清世人對宋詩盲從而主觀的成見。再者，以韓駒淡泊有味之詩風特色觀之，可見宋詩「重理而情味不足」論點之偏頗；尤其〈十絕爲亞卿作〉純然情詩中之傑作，浪漫纏綿，誰曰宋代了無情詩？韓駒詩歌中亦不乏邊塞風光之描寫，如〈送許少卿出守邠州〉諸作，特表現手法及風貌不同於唐詩而已。外此，詩話所載或偏頗未當，或臆測失據，持韓駒詩歌檢驗之，往往鐵案如山，昭然若揭，自〈夜泊寧陵〉詩之評價，可見一斑。

　　本篇論文曾多方搜集陵陽詩集版本，詳加比勘。先標註釋，註後列箋，爲詩繫年，點明詩趣，提示其藝術技巧，韓駒之詩歌風貌，則略述於結論中。韓駒善於絕句，多用流水對，頗見流美宛轉，最具個人特色；其古詩則多用排比，時有俊妙佳句。由於韓駒善音律，故詩歌富妙曲陽春之美。就詩學淵源而論，韓駒詩歌多奪胎自蘇軾、杜甫、韓愈；自韓駒作詩態度之嚴謹及其詩法觀之，可得知韓駒確屬江西詩派；韓駒晚年詩作頗見悲愴，所謂「感時憂國歌慷慨」，此於陸游詩風必有一定的影響。而韓駒以禪論詩之詩論除〈贈趙伯魚〉外，〈飲酒次人韻〉亦可窺知究竟。綜要言之，韓駒詩歌可分八種風貌：幽秀、淡泊、禪趣、輕鬆俏皮、沈鬱雄渾、灑落有致、婉約深情、工致典則，其中以幽秀之作爲上乘。

目　次

蔡美端　通訊處：台南市長東街 102 巷 69 號
　　　　電話：06-2689202

M7804 國立成功大學中國歷史語言研究所中文組碩士論文

惠棟讀說文記研究

中華民國七十八年
研究生：闕育鈴
指導教授：黃競新先生

提　　要

　　梁啓超於《中國近三百年學術史》一書中云：「乾隆中葉，惠定宇著讀說文記十五卷，實清儒說文專書之首。」是以本文題爲惠棟讀說文記研究，研究目的爲求惠記如何以經注許說，以許說注經義而相互發明，至其書校勘戮辨，則引用字書經書，貫穿證發，以抵於審音聲，正文字而求詁訓。是惠氏始剏之功足以爲準繩者也。然書中銓解，詳簡不一，或有含渾晦澀，而使人難以知曉者則稽諸惠著九經古義，並考古籍及援引諸家灼見以申其說。

目　　次

闕育玲　通訊處：基隆市孝一路 100 號
　　　　電話：032-226449

M7805 國立成功大學中國歷史語言研究所中文組碩士論文

陳映真小說研究—以盧卡奇理論為主要探討途徑

中華民國七十八年
研究生：羅夏美
指導教授：馬森先生

提　要

　　由於陳映真的小說創作在大方向上受到盧卡奇現實主義小說理論的影響，因此本文以盧氏長、短篇小說理論為主要途徑來探討陳映真的作品。

　　我們將陳映真的小說分成三期，並選擇其中若干代表作加以研究：在早期小說中（一九五九－六五），知識份子的失落感和省籍關係是其兩大主題。由於剛開始寫作，技巧不夠成熟，加上作者太過耽溺於自傷身世，且對社會層級結構及政治狀況的認知也不夠清楚，復以政治高壓的禁制，使得典型環境及典型人物的塑造遭受扭曲。我們在〈我的弟弟康雄〉及〈將軍族〉裡可以見到這些特色，但陳映真強烈的情感及思想使得作品中人物凸顯出搶眼的「個性」。

　　在轉變期小說裡（一九六六－七三），作者已較能從國家、社會層次去省察纏繞於社會關係中的典型人物，題材的選擇也邁向現實主義的道路。此期作品以〈唐倩的喜劇〉最為出色，作品中將唐倩塑造為具象的台灣社會代表，以嘲諷諧謔的寫作風格反映、批判六〇年代台灣知識份子浮華的西化風氣。

　　在政治、經濟期小說中（一九七九－八七），陳映真突破政治禁忌寫出〈趙南棟〉，凝視白色恐怖的五〇年代到消費社會的八〇年代這三十多年來的社會實。可惜由於篇輯限制－本應該寫成長篇小說的作品被大量濃縮成中篇－使得社會整體性無法具體呈現。經濟期小說的「華盛頓大廈系列」旨在呈現跨國公司／資本主義經濟體制對台灣人們情感與心性的扭曲。但由於形式上的限制、情節設計上的差誤以及技巧上的缺點，使其無法適切傳達出批判社會經濟體制的意旨。

目　次

羅夏美　通訊處：宜蘭縣冬山鄉香和村香城路 297 號
　　　　　電話：039-594209

M7806 國立成功大學中國歷史語言研究所中文組碩士論文

七等生文體研究

中華民國七十八年
研究生：廖淑芳
指導教授：馬森先生

提　要

　　七等生是二十世紀六〇～八〇年代集讚譽與咀咒於一身、備受爭議的神秘作家。愛之者認爲他是當代「最具哲學深思的作家之一」，是「蘊藏在台灣本土的一塊美玉」，惡之者則認爲他的作品是「故意安排一條歧途讓評論者陷入錯誤的思考」。甚至更有人認爲他大部分早期作品「都沒有成功」，而且以爲七等生的作品「缺乏生動的細節描寫和精心設計的結構」。

　　過去許多討論都集中在他晦澀難解的創作心態，作品中兩性關係及單篇主題等。鑑於橫在七等生與讀者間的溝通障礙是他「小兒麻痺的文體」，而這方面又尚未有人深入討論。本文從瑞士語言學家索緒爾的結構語言學觀點及捷克文學批評學者穆克洛夫斯基的「歧異」觀念爲基礎，全面觀察其辭彙、句法、篇章各方面的文體特色，以探討他怪異文體的形成原因及手法，並提供筆者「閱讀」其文體引起的美感經驗。

　　筆者觀察結果，發現其怪異文體普遍具有解除閱讀的自動化反應、刷新印象、拗折節奏、表現心理直覺等濃厚的文學性功能，甚至令人思考到真實與虛幻、文法與文學、傳統與新變、及結構安排與真實捕捉等各方面彼此間繁複駁雜的作用關係。所以他的作品容或不符小說評論者眼中的規範，卻無損於其文學性的價值。筆者最後歸結其文學史上的價值應在其獨創文體對文學本身意義上的開拓，而反對完全從小說結構等觀點去定位其成就，以免忽略了他在文學史上真正的獨特貢獻。

目　次

廖淑芳　通訊處：台北縣深坑鄉土庫村紅葉街45號
　　　　　電話：（H）02-26624104　　（O）02-28927154 ext. 1540

M7807 國立成功大學中國歷史語言研究所中文組碩士論文

詠植物詩中吉祥觀初探

中華民國七十八年
研究生：鍾宇翡
指導教授：黃永武先生

提　要

　　本論文的研究目的，乃是藉詠植物詩，一窺中華民族向來極爲重視的吉祥觀之內涵。

　　中華民族是個事事講求吉祥的民族，這可從人們年節吉慶的祈福，平時互相談說的祝語，乃至於詩歌繪畫中的表態，窺知一二，然「吉祥」一辭，所指稱者究竟爲何？它涵藏了中華民族哪些深層願望？ 吾人遂就以柏、菊、菖蒲、桃、梅、牡丹、海棠、石榴、萱草、蓮等十種植物爲吟詠題材的詠植物詩爲研究範圍，逐項解析，以探究詩人藉由詠植物詩所呈現出來的情志，並藉此探索中華民族的共通願望與理想。

　　研究主題及範圍既定，乃著手資料的蒐集。詠柏詩、詠菊詩、詠菖蒲詩、詠桃詩、詠梅詩、詠牡丹詩、詠海棠詩、詠石榴詩、詠萱草詩、詠蓮詩的來源，以俞琰《歷代詠物詩選》、張廷玉《佩文齊詠物詩選》、淸聖祖敕撰《廣群芳譜》爲藍本，乃取丁福保《全漢三國晉南北朝詩》、淸聖祖御致《全唐詩》、呂留良《宋詩鈔》、張景星《元詩別裁》、沈德潛《明詩別裁》，以及《菊譜》、《梅譜》、《牡丹譜》、《海棠譜》……等各類花譜，加以校勘補異，以這些詠植物詩爲基本材料，先分門別類加以詳細剖析，再依照詩篇所表露出來的內涵，分成壽命、富貴、多子等三大類，配合神話學，人類學以及民俗學的論證，乃至於經史、筆記小說的佐證，來予以探究研析。

目　次

鍾宇翡　通訊處：屏東縣內埔鄉東勢村大同路二段 22 號之 1
　　　　電話：08-7793665

M7901 國立成功大學歷史語言研究所中文組碩士論文

與鄭成功有關的傳說之研究

中華民國七十九年
研究生：蔡蕙如
指導教授：胡萬川先生、吳達芸先生

提　要

　　本論文主要是以台灣地區與鄭成功有關的傳說為研究範疇，另外也配合上福建、日本兩地傳說，作為補證。並且依據程薔的《中國民間傳說》分類及普洛普的《民間故事型態學》，來分析故事情節單元，以探討傳說所反映出來的意義。

目　　次

蔡蕙如　通訊處：台南市富農街一段199巷19號2F
　　　　　電話：06-2605308

M7902 國立成功大學歷史語言研究所中文組碩士論文

李喬《寒夜三部曲》研究

中華民國七十九年
研究生：賴松輝
指導教授：呂興昌先生

提　要

　　李喬的《寒夜三部曲》是一部以清治、日據臺灣歷史爲背景的長篇小說。以兩個家族的遭遇，反映出臺灣人的命運，及反抗統治者壓迫的苦難歷史。

　　本篇採用三條徑路對《寒夜三部曲》進行研究：首先，因爲本書以臺灣歷史上的重要事件爲背景，因此就得探討作者對歷史事件的特殊詮釋意義。其次，本書是一部小說，就可由小說的內容形式加以分析。再次，可將作品放在臺灣文學史的大河裡，找出作者所承襲傳統及個人突破傳統的創新手法。

　　本篇論文除緒論與結論外，共分五章。第一章；討論這部小說的文類，并探討作者何以選這種文類作爲他創作的形式、第二章：討論土地、抗爭、回歸、命等四個主題，探討移民開墾土地，與土地的掠奪者進行抗爭，所傳達出愛土地的情感；及流落南洋的臺籍日本兵，所抱持必定要回歸臺灣的堅強信念；第三章：由作品心理描寫來看作者的文字風格，并從中引用的歷史事件與虛構的情節交錯的情形，來探討全書的結搆。第四章：將書中的人物分爲反抗者、女人、三腳仔、白痴與瘋子四種類型，對他們的性格加以分析。第五章：由李喬的創作歷程及文學史的觀點，來給予本書適當評價。

目　次

賴松輝　通訊處：台南市富農街一段 199 巷 19 號 2F
　　　　電話：06-2605308

M7903 國立成功大學歷史語言研究所中文組碩士論文

范成大山水田園詩研究

中華民國七十九年
研究生：林天祥
指導教授：張高評先生

提　要

　　范成大歷來被譽爲「南宋四大家」，其詩必有可觀。斷無可疑。然歷來學者眼光僅投注於《四時田園雜興六十首》，對於范成大田無詩之總體表現，雖稍有觸及，但未作專題之研究，并爲可惜。蓋范成大田園詩之佳處，不限於《四時田園雜興》，在《石湖詩集》早期、中期之田園詩中，亦多佳構，不但具實反映作者的思想，也反映了有宋一代的政治、經濟、文化及社會各層面，實在值得深入研究。

　　范成大的山水詩，在前人目光局限「田園詩人」的頭銜下，一向被忽視，檢視《石湖詩集》山水詩的數量，不但大大超越田園詩，在質的方面，也足與田園詩相抗衡。何以他的山水詩，被冷落了近九百年，得不到學人的青睞？這實在是憾事。筆者以爲范成大的山水詩，不但是兩宋山水詩中的佼佼者，即使在歷代山水詩發展上，亦有其貢獻，頗值得研究。

　　本文旨在闡幽發微，除對范成大《四時田園雜興》作進一步的探討以外，并對《石湖詩集》其他田園詩之藝術價值，作發掘研究，得知其田園詩之表現，如農民福祉之關懷、農家勞作之呈現、農民困苦之同情、年歲豐收之歡愉、田園情趣之抒發、知足常樂之反映、民俗節慶之描摹、邊地峽農之寫照等，於是范成大之田園詩，得以全面的呈現。而且本論文對於前人所忽略之范成大山水詩，特別留心注意，多方作分析、比較的工作，發現其山水詩之表現，如愛國思想之流露、宦游情懷之自由、開朗樂觀之表現、山水自然之啓示、人本精神之凸顯、佛道精神之觀照、儒者用世之襟抱等，由此可見其山水詩之歷史地位與價值，范成大山水詩人的桂冠，可謂實至名歸。

目　次

林天祥　通訊處：屏東市協和路 136 巷 20 之 1 號
　　　　電話：08-7320683

M7904 國立成功大學歷史語言研究所中文組碩士論文

詩經關雎篇之研究

中華民國七十九年

研究生：吳萬鐘

指導教授：黃永武先生、葉政欣先生

提　要

　　第一章：緒言。此章介紹今人研究詩經的趨向與在此情況下關雎篇的研究成果。

　　第二章：詮釋關雎篇的兩種基本觀點。從詩教觀點與求詩本義看歷代詩經學者詮釋關雎篇的基本立場，并論歷代詩經學的傳承關係。

　　第三章：關雎篇的諸問題。此章論關雎篇的一些問題，如關雎篇的作成時代，關雎篇的主旨，關雎篇的分章法，為何詩經以關雎為首，關雎篇的賦、比、興等問題，先把歷代學者的看法整理分類，再加以檢討分析的方法，一一分節探討。

　　第四章：關雎篇中詮釋不同的字、句之研究。詩經地難讀，可在於詩篇中詮釋不同的字句之不易解釋，如果讀通詩義，非先對這些難字難句作一番了解不可，關雎篇的雎鳩、河洲、窈窕、淑女、君子、逑、荇菜、左右、柳流、采、毛、思服、悠、輾轉反側、琴瑟、鐘鼓等，前人對每個字、句不同的解說。本章以歷敘各家不同的主張加以研判。共分為十二節。

　　第五章：關雎篇的價值。此章從內容方面和表現技巧方面評估關雎篇的價值。第一節：內容方面的價值。第二節：表現技巧方面的價值。探討關雎篇的用韻方式和修辭技巧。

目　次

吳萬鐘　通訊處：韓國光州廣域市北區龍鳳洞300　全南大學校

　　　　　　　人文科學大學　中文系

　　　　電話：062-266-2628　手機：017-618-6011

　　　　email：oumj6011@hanmail.net

M7905 國立成功大學中國歷史語言研究所中文組碩士論文

訓蒙字會「俗呼」初探

中華民國七十九年
研究生：金德彬
指導教授：周行之先生

提　要

　　《訓蒙字會》爲十六世紀韓國著名漢語學家崔世珍所著漢語教習之作，其書收錄漢字三千三百六十之數，旨在使蒙幼者習字明物，多識爲獸草木之名，故於字下廣收當時（十六世紀）中國常用之俗名，亦即書中習見之「俗稱」、「俗呼」，計八百三十餘條，可謂研究十六世紀中國語文之重要資料，亦爲該書之特色。惟前人於《訓蒙字會》一書，多就韓國文字史、聲韻學及版本異同三方向研究，究其因，非書中所收俗字無研究價值，蓋囿於語文能力之限制也。本文題爲「訓蒙字會『俗呼』初探」，所謂「初探」者，明此文於《訓蒙字會》研究方向之創新，亦期許後人於此有更深入之研究。

目　次

金德彬　通訊處：EupaKorea（株）　DongJin Billding3 層　22-37 Sinsa Eunpyeong,
　　　　　　Seoul, Korea
　　　　電話：02-3764200　手機：016-585-4200
　　　　email：dbkim@eupa.co.kr

M7906 國立成功大學中國歷史語言研究所中文組碩士論文

西方悲劇理論在中國戲曲批評中的應用

—以元雜劇《趙氏孤兒》為例

中華民國七十九年
研究生：林妙勳
指導教授：馬森先生

提　要

　　本文旨在援西方悲劇理論以分析元雜劇《趙氏孤兒》是否為一齣悲劇？同時也對此種以西方悲劇理論來評騭中國古典戲曲的觀念及方式，提出個人不同的思考角度，並作適當的釐清與修正。

　　運用西方悲劇理論來批評中國古典戲曲時，有一個不容忽視的觀點是，悲劇在西方已成為一種文學類型，有其基本的文類特徵，不能任意地加以修改或揚棄，而加入太多個別的文化屬性，必得了解並尊重其原有的特質，始能從事有效且客觀的批評。

目　次

林妙勳　通訊處：
　　　　電話：

M7907 國立成功大學中國歷史語言研究所中文組碩士論文

王國維之甲骨學

中華民國七十九年

研究生：郭芬茹

指導教授：黃競新先生

提　要

　　靜安先生爲一代大儒，於甲骨學發展初期，頗能綜合孫詒讓、羅振玉之研究成果而有所發明，結合甲骨文字考釋以探商史，綴合甲骨斷片而訂正〈殷本紀〉世次之誤，重建殷商信史，於中國古史學影響甚鉅；其結合地下出土實物與文獻史料，倡論二者不可偏廢及其理論之實踐，啓迪後世至多。其後治甲骨學者，亦多循先生之跡有所發揮而獲致重大成就。

　　先生以甲骨治商史，囿於其時所見材料有限，且僅爲開創，其論未必盡的。甲骨學發展至今已逾九十年，所見資料日豐，於商史研究當較全面，先生之論有得新出資料益證成其說，亦有得以訂補闕誤者。今人論先生甲骨學成績者，多就其成果作零星之評論，故本文詳人所略，略人所詳，以先生甲骨學研究方法及運用甲骨涉及之內容作全面之論證及評述。

　　本文題爲「王國維之甲骨學」，以先生運用甲骨材料論及商史者爲範圍，全文約十五萬字，別爲六章，分別就先生甲骨學研究方法及其涉及內容，包括文字、先公先王及舊臣、祭祀、繼統法、方國等，幷歸納先生於甲骨學之貢獻及影響在於標舉研究方法及導引研究方向，揭示先生於斯學發展之地位。

目　次

郭芬茹　通訊處：台南縣學甲鎮新芳紅茄里二鄰24號
　　　　　電話：06-7832786

M8001 國立成功大學歷史語言研究所中文組碩士論文

蘇軾禪詩研究

中華民國八十年
研究生：朴永煥
指導教授：張高評先生

提　要

　　蘇軾乃宋代文學巨擘，深邃的思想、熱情的性格、豐富的學養，使其在詩壇上卓然成家。他在政治上的失意及宦途上的波折起伏，使他更潛心於佛禪，故其詩作大多表現人生如夢、萬法平等、樂觀曠達等與禪學有關之內容，在藝術風格上則展現出清新自然、平淡幽遠之特色。

　　本論文共分七章，第一章緒論，論述蘇軾禪詩的研究現況及筆者所使用之研究方法。

　　第二章論述宋代文風與思潮，以宋代禪學流行的原因爲中心，論述儒、釋、道三家合流的情形。

　　第三章分析蘇軾習佛之原因、佛教思想對蘇軾的影響：諸如蘇家人信佛的情形、個人的人生經歷以及與釋界交游中，促使他習佛的因素，多有所探討。

　　第四章探討蘇軾禪詩之淵源、詩禪融合情形、禪詩表現之層面。歸納蘇軾詩作，把蘇軾禪詩分爲五個層面來論述，即以禪理、禪典、禪跡、禪趣、禪趣、禪法入詩。

　　第五章探索蘇軾禪詩所表現之主題，論述佛禪思想在蘇軾思想中的地位及分布的情況，從強調人生如夢、標榜隨遇而安、追求心靈安和、揭櫫萬法平等、提示妙悟玄理、歸於樂觀曠達等六個角度論列之，每個主題中，各舉五首以上相關之例證，除作爲論說之佐證外，並分析其思想的變化。

　　第六章剖析禪宗機鋒及其經歷公案的影響，進而凸顯禪詩所表現的藝術風格。分爲自然、平淡、幽遠、理趣、奇趣、諧趣、妙悟、翻案等八種風格論述之。

　　第七章爲結論，總結蘇軾禪詩的成就對宋代詩壇的影響。

　　蘇軾是宋代詩文革新運動的領袖人物，因此在宋代詩壇上，他的影響深遠，如蘇門四學士以及影響兩宋詩壇的江西詩派，都直接、間接受到他的影響。另一方面，禪學對宋文化影響很深，蘇軾禪詩除反映了您自己的人生哲學思想外，更代表宋朝文人禪詩的風與藝術特色，對當代及後代以禪入詩、以禪喻詩的詩歌創作及理論，有極深遠的影響。

目　次

朴永煥　通訊處：韓國漢城市中區　洞3-26　東國大學校　文科大學　中文系
　　　　電話：02-2231-9836　手機：011-9999-9833
　　　　email：piao@dongguk.edu

M8002 國立成功大學歷史語言研究所中文組碩士論文

孟子內聖外王思想之研究

中華民國八十年
研究生：林翠芬
指導教授：閻振瀛先生

提　要

　　作爲學術文化主流的儒家思想，對中國的影響是深遠的，儒家思想中，又以「內聖外王」的文化理想最爲人津津樂道。內聖外王學的基礎是由孔子奠定的，孟子則在孔子已粗具規模的基礎上加以發揮。歷來探討孟子義理之學者，有對其思想價值作正面的肯定，也有作負面的批評，誠然各有其理。但，隨著追求現代化的趨勢使然，儒家思想乃因緣際會面臨了全面的檢討，本文即就孟子的內聖外王思想部分先作一番釐清說明，並就現代需求的觀點，再對其思想作一規納檢討與建議。

目　次

林翠芬　　通訊處：嘉義市港坪里 7 鄰 34-6 號
　　　　　　電話：05-2353126

M8003 國立成功大學中國歷史語言研究所中文組碩士論文

尚書袁氏學記

中華民國八十年
研究生：莊進宗
指導教授：宋鼎宗先生

提　要

　　夫南宋沈之《書集傳》，附驥於朱子；主導宋末至元清初之《書》學，影響至爲深遠。然其精神意趣，尚在義理之講明；未足以言兼具江西陸學之「實踐」，與浙東史學均實用」也。考兩宋《書》學，惟南末醇儒袁燮之《絜齋家塾書鈔》，服膺江西，參會浙東，而不悖程朱；集長去短，光粹無瑕，獨能使儒家修己治人、內聖外王之道，完然無闕也。本文共分六章，旨在呈現其《書》學體用兼綜、醇正篤實之特色也。

目　次

莊進宗　通訊處：台南縣永康市復國二路 87 巷 37 號
　　　　電話：06-2389225

M8004 國立成功大學中國歷史語言研究所中文組碩士論文

甲骨文中所見之天神資料研究

中華民國八十年
研究生：黃淑雲
指導教授：黃競新先生

提　要

　　宗教信仰起于人類對自然現象不了解，中國在殷商時期已見崇拜自然神與祖先神之記錄，延續至今而不廢。

　　本文就殷人崇拜「天神」之部分加以研討，題爲「甲骨文中所見之天神資料研究」。首以導言概述資料運、寫作方法及研究動機等。第一章爲「帝－至上神崇拜」：帝乃統治天地萬物之最高主宰，亦有其屬，宛如人間之朝廷，權成極大，故受崇拜。本章論述帝字含義，帝之權能與帝之其他問題，並附述東母、西母二神。第二章爲「天象諸神」：論述位子天空之日、月、星辰等天文現象，此如日月交替、星辰移位，本有常軌，乃先民觀象授時之依據，故被神化而受崇拜。第三章爲「氣象諸神」：論述風、雨、雪、雲、雷等氣候變化，因其影響農作、生活甚大，故亦被神化而崇拜。結語則歸納殷人崇拜天神之心理與目的。

目　次

黃淑雲　　通訊處：高雄縣湖內鄉建國街 13 巷 5 號
　　　　　電話：07-6992717

M8005 國立成功大學中國歷史語言研究所中文組碩士論文

復興閣皮影戲劇本研究

中華民國八十年
研究生：陳憶蘇
指導教授：馬森先生

提　要

　　皮影戲是中國的民間藝術與民間娛樂，栩栩如生的影人在小小的影窗上搬演歷史的盛衰興替；道盡人生的悲歡離合，虛幻的舞台正是人世的縮影。台灣的影戲來自大陸潮州，盛行於南部地區，目前的皮影戲團皆集中於高縣內，爲保存並推廣此一地方特色，高雄縣立文化中心正積極籌設皮影戲館，因此對日趨沒落的影戲進行研究，自有其必要與價值。

　　本論文以復興閣皮影戲團之劇本爲對象，主要內容包括：

　　一、將劇目整理分類，並就故事淵源略作說明，以明其梗概。

　　二、說明劇本的類別及其文字、曲牌、特殊符號及角色等要素，進而就劇情的結構加以分析。

　　三、就語言、敘事、抒情三方面探討影戲劇本的文學表現。

　　四、就演出與觀眾之間的關係來看影戲在儀式、娛樂、說教上之功能。

　　綜合上述之觀察，可以認識影戲劇本的全貌，它是以腳本的形式存在，主要作用在作爲演出時的提示，而非以文學表現爲目的。影戲劇本雖不適於作爲案頭讀物，但對它多所了解，不但有助於對民間傳統文化的認識，同時更可爲影戲劇本的發展奠定基礎。

目　次

陳憶蘇　通訊處：桃園縣龜山鄉陸光二村 739 號
　　　　電話：03-3204280

M8006 國立成功大學歷史語言研究所中文組碩士論文

清代紅樓夢繡像研究

中華民國八十年
研究生：王月華
指導教授：康來新先生、吳達芸先生

提　要

　　繡像在我國書籍圖文傳統中，特指古代戲曲小說的人物插圖，是因文而發、與文並置的版畫藝術，故繡像與本文、版畫有極緊密的關聯。插圖與版畫的藝術一向為文學、繪畫研究者所忽略，而《紅樓夢》的研究始終側重於文字，對其衍生的圖畫；甚至是隨文出版的繡像，學界也少有涉及。主因可能是《紅樓夢》一書高度的藝術成就，在學術的研究上已能自足，致使其圖畫雖然時有新作，而論之者卻少。是筆者欲就舊有的材料，先以清代《紅樓夢》的繡像為研究的起點，並做為紅學領域裡一個新議題的研發。

　　基於對題材的關懷和思考，本論文必須考察關於清代的《紅樓夢》：

　　1.就各本繡像之所本的，與其底本版本，在來源上是一致的，還是另成系統？

　　2.做為圖畫創作的靈感母體而言，《紅樓夢》的描寫藝術裡，究竟提供了甚麼畫題線索？脂評幫了什麼忙？

　　3.繡像對本文的詮釋，有否達到了和評點相同的功能？或者繡像還做了那些？又繡像對本文的取材，是否也有各別的著重和愛好？其他形式的藝術對《紅樓夢》的取材也有類似的情形嗎？

　　4.以藝術論，這批繡像在中國版畫史上的排行如何？它的承襲與開展又如何？

　　5.繡像在社會功能上，即行銷、消費，與社會的接受情況方面，彼此產生何種影響？

目　次

王月華　通訊處：嘉義縣朴子鎮向榮路 17 號
　　　　電話：05-3793363

M8007 國立成功大學中國歷史語言研究所中文組碩士論文

甲骨文形聲字形成過程研究

中華民國八十年
研究生：權東五
指導教授：黃競新先生

提　要

　　甲骨文形聲字爲目前所見中國文字最早之成熟表音文字。欲研究中國形聲字，須從形成過程研究開始，故本文分析其過程，以了解甲骨文形聲字之形成。
　　本文別爲四章，第一章，緒論，敘述研究動機、範圍、方法等。第二章，詳述以原爲獨體指事或象形字作爲形符，附加聲符而形成新生之形聲字。第三章，詳述以原爲象形字作爲聲符，附加形符而形成新生之形聲字。第四章，列舉標準形聲字。第五章，結論。

目　次

權東五　通訊處：韓國全南谷城郡玉果面玉果里　全南科學大學　國際協力室
　　　　　電話：061-360-5283　手機：011-642-5283
　　　　　email：1472life@hanmail.net

M8101 國立成功大學中國文學研究所中文組碩士論文

南宋詠史詩研究

中華民國八十一年
研究生：季明華
指導教授：張高評先生

提　要

　　中國人在緬懷歷史、追慕前賢、評論前代的成敗得失、褒貶前人的善惡美醜、總結歷史的經驗教訓時，都會很自然地運用詩歌加以表現，詠史詩因而有源遠流長的傳統。從先秦至唐，詠史詩的發展，呈現的風貌不僅多樣，在質量上也取得了很高的成就。

　　所謂「宋人生唐後，開闢眞難爲」的觀點，是筆者欲以宋代詠史詩爲研究重點的原始動機；而南宋詩人因處境的特殊，流露出「撫感時事，慷慨激越，寄托遙深」的創作基調，使筆者決定以「南宋」爲研究範圍，思索並歸納其詠史詩的整體風貌。

　　本論文共分六章，第一章緒論，論述詠史詩的研究現況及研究方法。第二章經由比較，界定詠史詩的範圍，並建立筆者擇取南宋詠史詩的準則依據。透過「縱軸考索」的方式，探討詠史詩的源流、名稱確立、及在宋以前的發展面貌與風格。第三章主要在分析時風背景，與詠史詩發展的關係。諸如靖康之難的刺激、群奸當政的影響、士人風氣的表現、講史等說話家數的流行；學校教材的觸發、史學著述的發達、理學思想的勃興等背景都在探討之列。至於北宋詠史詩的神貌與影響，亦附於本章論述之。第四章探索南宋詠史詩的內容表現之層面，分爲專詠歷史人物、歷史事件及雜詠史事三類。再就三類層面所展現的主題哲思作詳細分析：以懷材不遇的深沉悲痛、懷古傷逝的恨惘、山林歸隱的清逸、家國命運的關懷、理想典型的傾慕等五個角度論證。第五章剖析南宋詠史詩在繼承與創新方面展示的表現類型有：藉史載道、託古寄慨、引古議論等層面。第六章爲結論，總結南宋詠史詩的成就，並論述所呈現的思想、風格對後代的影響。

　　所謂「殘山剩水黍禾荒，詠史游仙盡慷慷」，南宋詩人面對的時代悲劇，爲詠史詩的面貌，注進了慷慨激越、直陳遒勁的生命情調；亦將詠史詩的作用與表現層面，作了飽滿淋漓的呈現。其可資研究的價值是不容抹滅的。

目　次

季明華　通訊處：高雄縣岡山鎮公園西路二段 69 巷 4 號
　　　　電話：07-6256521

M8102 國立成功大學歷史語言研究所中文組碩士論文

丘逢甲嶺雲海日樓詩鈔研究

中華民國八十一年
研究生：徐肇誠
指導教授：呂興昌先生

提　要

　　本論文以丘逢甲內渡後創作所輯成的《嶺雲海日樓詩鈔》爲研究範圍，實地就其詩歌的情感內涵和形式上的創作手法予以探討，並嘗試給予合理的文學評價，同時希望藉此使眾人對丘詩的文學價值有進一步的認識。

　　本論文除緒論、結論之外，共分四章。緒論部分主要說明本論文研究動機、範圍，及前人研究狀況，結論則在第四章完成丘詩評價之後，再次強調研究者應留意丘詩的「詩史」評價，實與當時的詩歌潮流和個人生長環境，皆有密切的關係。

　　第一章「丘逢甲生平及時代環境述略」。共分兩節，第一節簡述丘逢甲生平各項重要經歷。二節則從（一）政治環境。（二）學術與思想環境。（三）詩壇趨勢等三方面，扼要地介紹丘逢甲所處的時代環境，以便作爲瞭解其詩歌內涵之背景。

　　第二章「丘逢甲詩歌的內涵」。共分兩節：第一節探討詩人對大我生命的關懷。從（一）撻伐統治階層之貪庸誤國。（二）批評重大政策之偏失流弊。（三）憂心清帝國重大滅亡危機。（四）關懷平民社會風教與疾苦等四個層面，對丘逢甲基於關懷蒼生的心理，和「詩史」的自我使命感意識下所創作的詩歌內涵，予以深入地探討。第二節探討詩人「自我生命的樂章」，亦即詩人抒發個人情志的作品。以下分別從（一）眷懷故鄉臺灣的悲情組曲。（二）期許與現實落差下的哀歌。（三）從維新至革命的心路歷程。（四）對內渡受謗之申訴與告白等項加以討論。以便直接從詩人的作品中，感受並探索其心靈的訊息。透過對這些題材的研究，希望可以對時下將丘逢甲定位爲「愛國詩人」的刻板印象，產生一些修正的作用。

　　第三章「丘逢甲詩歌的形式－幾種創作手法的探討」，共分五節，第一節分析丘詩運用古文家散文化章法筆法以入詩的技巧。第二節則探討丘逢甲在組詩結構上靈活運用的高妙手法。第三節從超現實性的幻構技巧，分析詩人想像、幻構的神奇手法。第四節乃專就詩人在詩歌中獨具創意性的聯想，加以介紹，並詳論將此聯想融入作品的過程。第五節則對詩人深具個人風格的譬況託寓技巧，予以深入析論，以彰顯其不蹈襲古人的創作態度。

　　第四章「丘逢甲詩歌的文學地位與評價」，共分兩節。第一節先敘以往諸家對丘詩之評論意見，再以本論文第二、三章的探討爲依據，嘗試予丘詩一個合理的文學地位與評價。第二節則專就繼梁啟超之後，近來學者紛紛以「詩界革命鉅

子」評價丘逢甲詩歌一事，從丘氏的作品上，對其參與詩界革命運動進行重點考察，一方面亦可藉以瞭解此一說法的實質內涵。

目　次

徐肇誠　通訊處：台南縣永康市中山南路 1042 號 7 樓之 1
　　　　　電話：06-2024442

M8103 國立成功大學歷史語言研究所中文組碩士論文

方東樹詩學源流及其美感取向之研究

中華民國八十一年

研究生：郭正宜

指導教授：林朝成先生

提　要

　　方東樹的詩論主要見於其著之《昭昧詹言》一書中。其詩論主要是上承桐城諸老的餘緒，如劉大櫆，姚範，姚鼐等，集桐城派的大成，並下開桐城門人的詩論，如方宗誠等。此就桐城派的內部而言。就外而言，郭紹虞先生將方東樹的詩論列爲肌理說的餘波，又認爲在某一層次上，集清代詩論的大成。由此看來，方東樹的詩論可謂鉅矣！

　　本論文主要根據方氏之《昭昧詹言》來探討其詩論。本論文共分七章。第一章導論，論述方東樹詩論的研究現況，及本論文中，筆者所使用研究方法之介紹。第二章論述方東樹詩論與清初詩學的關係，主要是言其與王士禎神韻說，沈德潛格調說及翁方綱肌理說之中，詩論有相同之處。第三章論述方東樹與桐城派師承家法關係。第四章論述方東樹的美感取向，主要是透過對揚比較的方法，與王士禎的美感取向作一對照。第五章從詩的歸宿處來看詩的章法變化，時文的關係，評點的關係與桐城派的義法說。第六章論述方東樹的學杜論，言方氏何以推崇杜甫，學杜的途徑，善學杜者及談悟入。第七章結論，談方東樹的詩論的成就及影響。

目　次

郭正宜　通訊處：台中縣大里鄉中興路一段致富巷 2 號
　　　　電話：04-3333912

M8104 國立成功大學中國文學研究所碩士論文

南宋四大家詠花詩研究

中華民國八十一年
研究生：蕭翠霞
指導教授：張高評先生

提　要

　　自先秦、漢魏、隋唐以來，隨著花藝品質不斷提昇，花卉已然和中國文化思想密切結合，不再僅僅是自然界的景觀而已。尤其宋代，可說是中國文化史上的一個顛峰，花卉被賦予的人文意義正式確立；豐富的詠花詩，不但反映出了花卉在宋人心目中的價值地位，更刻劃著宋人的生活格調，傳達了宋人的思想與人生觀。由於時代環境的影響，南宋在詠花詩上的成就，較諸北宋又更顯突出、更富有討論性。

　　本文所要探討的內容包括：
一、　　南宋四大家與花的因緣
二、　　宋代詠花詩的文化背景
三、　　南宋四大家詠花詩的象徵類型
四、　　南宋四大家詠花詩的思想內容
五、　　南宋四大家詠花詩的藝術表現

　　陸游、范成大、楊萬里、尤袤既被譽稱為南宋四大家，對宋朝詩歌自有其代表性，所以本文歸納所得的論點，將不只適用於此四家之詠花詩，於宋代其他各家之詠花詩特色，亦有具體而微之呈現；對整體宋代詩歌的面貌而言，必然也能勾勒出部分輪廓。

目　　次

蕭翠霞　通訊處：台中縣太平鄉新平路 60-35 號
　　　　電話：04-2704045

M8105 國立成功大學歷史語言研究所中文組碩士論文

溫庭筠詩之語言風格研究—從顏色字的使用

及其詩句結構分析

中華民國八十一年
研究生：許瑞玲
指導教授：竺家寧先生

提　要

　　本文觀察溫庭筠詩，逐句追索且前後對照，對溫庭筠以文字作畫的技巧分類，是整理的、說明的，和系統的統計及析例，無寧是爲了使發現的過程更客觀、精確。

　　研究內容分陸章。　第壹章爲緒論，透過常用字數的統計與比例，說明從顏色字分析溫庭筠詩之語言風格的意義、方法、與動機。第貳章依題材分類，並且將鑒別後含顏色字的詩句依其在詩句句首、句末、第三字、第五字、第二字、第四字、第六字等不同的位置列出，由顏色字多出現在「詩眼」處（詩眼即詩句的第一、三、五、七字，其中，第五字即五言詩的句末，第七字即七言詩的句末），呈現溫庭筠在詩句節奏上對顏色字的強調。第參章從顏色字在詩句中的性質分類，與在詩句中扮演的文法功能，一一分析。並且，比較詩句表面結構與基底結構（語意結構）的變換，特別是溫庭筠強調顏色字而將詩句走樣的現象。一方面箋註溫庭筠詩句，一方面討論溫庭筠詩顏色字的語法風格。同時，對於我在第貳章顏色字列例不取的例子，也舉例說明。第肆章擴大顏色字的範圍，對光線、色澤等與視覺接收有關的「準顏色字」，作語法功能之分析與分類。第伍章藉由現代色彩學在色相、明度、彩度的知識，就溫庭筠詩的顏色字依序、依次數，統計其頻率，俾使對溫庭筠詩的顏色字使用偏好，一目瞭然；並從色彩詞的象徵及語詞情感，探其修辭意義。第陸章重申對溫庭筠詩顏色字的使用及其詩句結構分析的幾點研究發現。

　　本文對溫庭筠詩之語言風格研究，從顏色字的使用及其詩句結構分析，既完成之後，下一個里程，可以作溫庭筠的詩、詞語言比較，尋求詞的源流與掌握詩、詞語言之轉變樞紐；也可以將其他以設色爲修辭要務的作品，通盤比較、相互驗證，譬如驗證傳統詩話提到李賀好用「白色」、宋代范晞文《對窗夜語》注意到杜甫詩將顏色字置於句首等等；或由此進而建立起對中國傳統色的研究基礎。

目　次

許瑞玲　通訊處：台南縣永康市永二街 415 號 4 樓之 3
　　　　電話：06-2022095

M8106 國立成功大學歷史語言研究所中文組碩士論文

北宋詠史詩探論

中華民國八十一年
研究生：陳吉山
指導教授：張高評先生

提　要

　　本文分爲六個部分。第一部分是前言。敘述個人對歷史與史的受用，它們是生命的源頭活水。而詠史詩則兼有歷史與詩之優點而融會之。可潤澤提昇吾人之生命。

　　再來是第一章緒綸，敘述目前有關詠史詩之研究現況與筆者研究北宋詠史詩之方法。

　　第二章是北宋詠史詩形成之背景。北宋之邊患，激起了士人之責任感。然處於君主政體之下，士人之建言受種種限制。於是，以詠史詩之形式，較委婉的提出建設性的言論，則一方面可以表達作者之心聲，一方面亦可有「言之者無罪，聞之者足以戒。」的效果。

　　第三章就所論及之歷史人物等分類闡述之，以見其內容層面，涵蓋之廣。自君王將相，以至於隱士、士女及政治、軍事、人情世態等，皆在北宋詠史詩內容之中。

　　第四章是北宋詠史詩所表現之思想內涵。其中有致用思想，這是基於傳統士人以天下爲己任的抱負之反應。有隱逸思想，這是北宋士人一種捨之則藏，功成身退，與內心嚮往自由的思想的交織。攘夷思想則是對現實國家情勢的思考，與解決之道。疑古思想，則是一種創造性的不受拘束的思想，有助於學說的開展與發煌。此外，士節之提倡，更是北宋詠史之中特別突出之處，它是攸關一個知識分子之立身行事、出處進退的一個大原則。

　　第五章是北宋詠史詩技巧之探究，一件作品，尤其是文學創作，除了要有充實的思想內涵之外，亦有賴於表現技巧，使其成爲一完美傑出之藝術作品，以打動讀者的心坎。北宋詠史詩之表現技巧豐富而多變化。筆者僅能就淺薄的學力之所及，提出一些淺見。計有一翻案、二誇飾、三示現、四微辭、五襯映、六寄情史實、詠史與抒情結合、七藉景敘史，意象與史事並陳、八藉古諷今、寓含資鑑等八項。此尚待繼續研究，及深入的探討。

　　第六章是結論。總論北宋詠史詩之價值。它一方面表現了北宋時代精神之面貌，一方面亦傳承了我國傳統士人之智慧與節操志氣。有「任重道遠」、「已立立人」之懷抱。這等智慧與節操志氣是宇宙光輝，將永耀於人寰，長爲指導人們前進的方向。

目　次

陳吉山　通訊處：台南市西門路一段223巷21號
　　　　電話：06-2617365

M8201 國立成功大學中國文學研究所碩士論文

從「綜核名實」到「崇本息末」—漢魏思想之轉折與重構

中華民國八十二年
研究生：王秀如
指導教授：江建俊先生

提　要

　　從「綜核名實」到「崇本息末」旨在處理漢末名法思想到魏正始玄學這段期間的思想流變，並探討其間的關係，之所以要作此一階段思想史的爬梳，是要爲本、末範疇而成的體用之學找到根源。王弼的體用之學實際是由現實面的觀察與反省後，提昇至本體上的思考，因此對於漢室衰頹後知識份子在政治、社會等的觀照反應，所構成的時代思潮，力量不可忽視。既然著重於時代思潮的演變，則必與環境息息相關，因此對於論文的詮釋架構，乃採用思想史上「崩解」與「突破」的觀念，企圖勾勒出整個社會秩序和文化秩序互相糾葛的重要論題，同時觀察從漢末經學體系崩潰後，時代的中心思想如何轉入玄學之運作過程，以達重構的目的。

目　次

王秀如　通訊處：彰化市林森路 335 號
　　　　電話：04-7628154

M8202 國立成功大學中國文學研究所碩士論文

曹植詩賦研究

中華民國八十二年
研究生：吳明津
指導教授：廖國棟先生

提　要

本論文共分六章：

第一章緒論述敘筆者研究本題目之緣起，曹植詩賦的研究現況，及本論文中、筆者所使用的研究方法。

第二章建安詩賦風格之形成，從漢末魏初的時代動盪與文學自覺中，考察當時大環境對詩賦創作的影響、詩與賦的特色及其交融之情形。

第三章曹植生平及其思想述略，就曹植生平、思想作一探討，以突顯在慷慨悲涼的時代背景風格中，曹植詩賦與時代的關係及其具有的特殊氣質。

第四章曹植詩賦的意象表現，通過子建對自然景物的觸發而於詩賦中常見之意象：風、鳥、飛蓬、劍與美人，以意象分析爲切入角度，深入探討其「骨氣奇高，詞采華茂」的語言形式，追索作者如何在孤峯時空裡，展示他詩賦中「情兼雅怨，體被文質」的生命情境。

第五章曹植詩賦的精神世界　以遊仙詩、洛神賦爲例本章旨在討論曹植的整體思想與精神。以遊仙詩、洛神賦爲研究對象，經由語言層面、神話原型等詮釋其複雜的心理及詩賦作品之可能意義，並析其在文學史上的關鍵意義。

第六章結論論曹植詩賦之特色及其在文學史上之地位。

目　次

吳明津　通訊處：台南市大橋一街 247 巷 54 弄 2 號
　　　　　電話：06-2339660

M8203 國立成功大學中國文學研究所碩士論文

杜甫晚年七律作品語言風格研究

中華民國八十二年

研究生：吳梅芬

指導教授：竺家寧先生

提　要

　　杜甫是唐代偉大的詩人，作品堂蕪深廣，內涵淵奧，一般以爲杜詩之成就有二：一爲詩情，即精神內涵；一爲詩藝，即詩格律法。前者包括生存背景、思想、歷史、社會等，後者包括作品本身語言運用之特色「語言風格」的研究偏重在後者。

　　「語言風格」（Sylistics）是近十年來新興的學科，結合了文學和語言二大領域。語言學家認識到語言的研究不應把文學語言排斥在外，語言學是關於語言的學科，應該能夠對文學語言進行剖析。而文學評論家們則認爲要對文學作品提出精確的闡釋和評定，不能不採取語言學家嚴謹的態度。在講究科際整合的現代，文學和語言學，便逐漸有了較好的溝通與融合。

　　本論文即以「語言風格學」的理論和方法，解析杜甫晚年的七律作，共分五章：第一章：緒論。說明研究動機及研究範圍，界定「語言風格」之意義。第二章：杜詩的聲韻風格。論述杜甫如何安排組織詩歌的聲律。第三章：杜詩的詞彙風格。論述杜甫選用詩歌詞彙的特色。第四章：杜詩的語法風格。詩的語言不同於自然語言那樣有一整套約定成俗的規則，杜甫如何在語序、節奏、句法上，跨越自然語言的常規，是本章論述的重點。第五章：結論。綜合闡述杜甫詩歌語言風格之形成。

目　次

吳梅芬　　通訊處：台南縣後壁鄉嘉田村 48-6 號
　　　　　電話：05-2881792

M8204 國立成功大學中國文學研究所碩士論文

《等韻精要》音系研究

中華民國八十二年
研究生：宋珉映
指導教授：謝一民先生、竺家寧先生

提　要

　　《等韻精要》一書是爲淸人賈存仁所撰的一部完整的韻圖，該書今藏在國立師範大學圖書館的善本室。作者在自序後面明示年代爲「乾隆四十四年」，因此可以確信，全書中所表現的音韻現象顯示它是一部北方官話的韻圖。本稿旨在藉著對《等韻精要》的研究，盼能更淸楚地瞭解漢語中由中古演變至現在的軌跡，並藉《等韻精要》所反映的音韻現象，提供十八世紀北方話一個眞實的面貌，使對近代音有更深的認識。

目　次

宋珉映　通訊處：韓國忠南論山市奈洞　建陽大學校　中國日本學部　中國語言
　　　　　　　　文化專攻
　　　　　　電話：041-730-5368　手機：011-392-1720
　　　　　　email：min@konyang.ac.kr

M8205 國立成功大學中國文學研究所碩士論文

洪興祖《楚辭補注》研究

中華民國八十二年
研究生：李溫良
指導教授：陳怡良先生

提　要

　　洪興祖《楚辭補注》一書，引據賅博，訓詁精詳，力補王逸《章句》之未備，誠爲今日《楚辭》研究之重要著作。倘能藉由考察此書之過程，進而明瞭其特色與價值，則吾人於楚辭學史之發展，當愈能掌握其脈絡。

　　本文內容凡分八章，首章爲「緒論」，言撰作之旨與探究之法。次章爲「洪興祖之時代環境與學術背景」，言作者所處之政治、經濟、社會環境爲何，以明時代背景賦予其人之影響；同時又及於學術發展之探索，舉出疑辨思潮勃興、治學規模廣闊、教育事業盛行、雕印技術提升乃彼時學術蓬勃之實際風貌，以明洪氏所受之薰陶。三章爲「洪興祖之生平與著述」，言作者之家世概況，以明其性情之養成，又述及仕宦歷程，以明其人格與思想，進而舉其著述成果，以明《楚辭補注》之撰作態度。四章爲「《楚辭補注》之創作與流傳」，言此書創作之動機，以明洪氏乃有所興寄，又述此書分合改易之跡，以明《考異》與《補注》之區分。五章爲「《楚辭補注》之體例」，言此書之訓解補釋、詮釋用語、徵引典籍等原則，以明其體製義例。六章爲「《楚辭補注》之成就與缺失」，言此書之特色有八，而不足者有四，以明洪氏撰作之得失。七章爲「《楚辭補注》之地位與價值」，言宋以來學者於此書所評爲何，並考察後人承襲洪說之處，以明此書於《楚辭》研究中之貢獻。八章爲「結論」，綜述二至七章之大旨，期能歸納洪書之特質。以上即本文撰作之大要也。

目　次

李溫良　通訊處：宜蘭縣宜蘭市孝廉里 12 鄰力新路 176 號
　　　　電話：02-22102612

M8206 國立成功大學中國文學研究所碩士論文

殷商甲骨文「于」字用法研究

中華民國八十二年
研究生：梁萬基
指導教授：黃競新先生

提　要

　　甲骨文中的「于」字，是卜辭中最常見的虛詞之一。本論文的宗旨，在於探討殷商甲骨文「于」字的用法。前人對於此方面的研究，多偏重於辭例列舉式的研究，亦或有分析不當之處，而不能夠充分顯示出「于」字用法的特點和功能。本文從描寫語法和變換律語法的角度，提出甲骨文「于」字的詞法和句法問題，並加以解析其功能，以期補充前人研究成果之不足。

　　本論文主要針對甲骨文「于」字的介詞和連詞二用法進行討論。討論時，為了瞭解「于」字在後世用法中的傳承關係，在金文、先秦以及其後的漢語中，找出適當的的例子作歷時的研究。

　　本論文共分六章論述。第一章緒論，此章略述前人研究的狀況和成果、本論文之研究動機目的以及研究方法。此外，關於甲骨文「于」字的動詞與複句連詞的用法，筆者在研究局限中提出了一些日後可繼續研究的問題，並作了一番簡短的檢討。

　　第二章至第四章論述「于」字的介詞用法。第二章中說明「于」字的處所介詞用法，文分三節敘述：其一、「于」字引介動作行為的到達處；其二、「于」字引介動作行為的所在處；其三、處所介詞「于」的省略。第三章中說明「于」字的時間介詞用法。文分二節：其一、「于」字引介動作行為發生的時間；其二、時間介詞「于」的省略。第四章中說明「于」字的對象介詞用法。此用法有二：一、「于」字引介動作行為間接涉及的對象；二、「于」字引介動作行為直接涉及的對象。文中並討論此二類用法中的「于」字省略情形。

　　第五章說明「于」字的並列連詞用法。此章分為二節：其一、「于」字連接名詞組；其二、並列連詞「于」的省略。

　　第六章結論，為本文論述之內容的綜括，與研究結果的歸納。

　　筆者期望本論文由此研究所得之結果，能更顯示出甲骨文介詞用法的一面，進而更有助於確立並穩固，甲骨語法在漢語語法史上的地位。

目　次

梁萬基　通訊處：韓國濟州道濟州市老衡洞 1534　濟州漢拿大學　觀光中國語通
　　　　　　　譯科
　　　　電話：064-741-7613　手機：016-690-8912
　　　　email：mkyang@hc.ac.kr

M8207 國立成功大學中國文學研究所碩士論文

熊十力平章漢宋研究—以《易》為例

中華民國八十二年
研究生：莊永清
指導教授：唐亦男先生、宋鼎宗先生

提　要

　　目前研究熊十力先生學術思想及其平生之作夥矣，唯以漢宋學問題為視域，理解熊十力先生學術思想者，未之有也。本論文希企藉由此視域，說明做為當代新儒家開山宗師的熊十力先生，乃是有自覺的批判性繼承清代學術課題，並將漢宋學問題提到宇宙真實之體的層次，開啟一文化路向，走向世界文化體系。而且熊先生所引發的爭議：如現代儒佛之爭以及熊先生與信仰儒學學者學術基本觀點的差異，本文亦認為乃關係到對於宇宙實體體認的差異所致。為了說明熊十力先生對於清代學術思想課題的自決性批判，本文以傳統學術思想範疇中，所謂的「實學」一詞指稱熊先生的學術思想。

　　一般的研究偏重熊先生「思修交盡」之學的道德智慧之學的闡揚，或是熊先生內聖外王之學的闡揚，本文則亦兼重熊先生對於科學知識的闡揚，並且強調熊先生內聖之學與外王之學的理論連貫性，在於「外王學之無君，本於內聖學之無神」。而如文獻學家對於熊先生的不尊重文獻的批評，本文則認為在一片疑古風氣之下，熊先生的一些恢詭譎怪言論，應從熊先生所處的歷史情境予以理解，方稱相應。而熊先生思想是否有前後期變異的問題，本文認為透過熊先生平章漢宋學術的視域，可知熊先生有其一貫的思想基調，應無此問題的存在。學界之有此問題，實因熊先生採取不同的詮釋策略所致。本文研究方法，基本上運用基礎論式的方法，或謂「以熊十力解熊十力」。

目　次

莊永清　通訊處：台南縣麻豆鎮莊禮里 13 號

　　　　　電話：06-5701847

M8208 國立成功大學中國文學研究所碩士論文

清代常州學派論語學研究－以劉逢祿、宋翔鳳、戴望為例

中華民國八十二年
研究生：陳靜華
指導教授：宋鼎宗先生

提　要

　　本文之研究主題為以清代劉逢祿《論語述何》、宋翔鳳《論語說義》、戴望《論語注》為例，討論常州今文學者以公羊義解釋論語之合理性，及其在經學史上之地位。全文共分七章：

　　首章為緒論，介紹三家之生平，並辨明本文之研究範圍，確立本文所引用的重要詞彙之定義，如漢學、今文經學、常州學派等。

　　第二章為歷史背景之介紹，旨在凸顯常州學者經世思想產生之緣起。並溯自莊存與之春秋學，說明復興於清中葉之今文學通經致用之初始性格。

　　第三章為劉、宋、戴三家之論語著述，首先確立以公羊義說解論語之根據，繼而討論三家論語學的發展過程，亦即宋、戴對於劉氏的繼承與創新。

　　第四章討論劉氏一家之學，主題為從《公羊何氏釋例》到《論語述何》　由公羊學到今文經學全面的建立過程。

　　第五章為宋、戴二氏之論語學，宋氏銜接了自劉氏以至晚清公羊學的發展。比較上講，劉氏自幼即奉母命專注於其外家之學，其主要著作皆成於嘉慶年間，且多為公羊春秋學的專著，而宋氏則從家學到專主今文，經歷了一個轉型的時期，而主要著作乃在道咸年間。戴氏循宋氏而下，走向一個更開闊的空間，戴氏之博綜諸學，既承講論政治的公羊學，又治顏李實學。論語的公羊化到了宋、戴，可謂已發展到了極致。宋氏之精義所在，強調因時制宜，重視學校與貨殖。然其最終目的仍不脫經學家之本色，以貨殖之最大功用為補三代舊制之壞亡。戴氏注繼承論劉、宋之說，秉持「以義貫之」之原則，重視通經致用之精神，依篇立注為其最大之功勞，然而並不只是模其形狀而已。

　　第六章劉、宋、戴三家論語學之學術價值，一是藉由比較，及影響所及；二是由論語、公羊不同的質性，及其發展沿革進行討論。從春秋公羊與論語之本質論公羊化論語之合理性，著重於所謂「時代的解釋」，強調重視現實社會、政治環境，懷有經世濟時之熱忱，為因應當時之需要而發展出來的學說。

　　第七章結論　經世思想、儒者之本懷（經學與政治），探索公羊家論語學在學術史網絡中之地位。三家之學以公羊思想為核心，論語為從屬，將論語納入公羊學的義理中，而非以公羊比附論語。且以春秋經傳與論語互為印證發明。總的來說，劉逢祿完成今文經學之奠基，以何休《解詁》之義闡釋論語，試圖還原何休注訓論語之面貌，宋翔鳳精力所貫，尤在論語，視之為與春秋同為聖人微言大

義之所存，到了晚清戴望，總括劉、宋之論語學，依篇立注，爲公羊化論語形式之完成。

目　次

陳靜華　通訊處：高雄市左營區新中街 65 號
　　　　電話：07-3410279

M8209 國立成功大學中國文學研究所碩士論文

《全明傳奇》合韻現象研究

──以蘇滬嘉地區作品為研究範疇

中華民國八十二年
研究生：趙德華
指導教授：李添富先生

提　要

　　本論文選取《全明傳奇》中最具代表性、又可避免不同方音淆混致誤之蘇滬嘉地區作品，以為系列研究之始。先依《九宮大成南北詞宮譜》、《增定南九宮曲譜》及《九宮正始》等曲譜，定出韻腳；復按《中原音韻》十九部，歸其用韻，並製成《全明傳奇》蘇滬嘉地區合韻譜，期能藉其合韻之跡，探究明代吳方言之語音真際，以明近代語音之流變。另有關方言語音之變遷，歷來論者較少，若能以本文研究結果，為吳方言之歷史演變，補充一二，亦為撰述本文時所企盼者也。

　　本論文內容共分四章：首章為緒論，說明明代傳奇作品合韻現象之研究現況，及本論文之研究動機、研究範疇與研究目的。第二章為《全明傳奇》蘇滬嘉地區作品合韻譜，韻字之認定以《九宮大成南北詞宮譜》為準，合韻與否則一依《中原音韻》。合韻譜依主韻之次第排列，並詳錄劇名、折數及曲牌，以便檢索。第三章為《全明傳奇》蘇滬嘉地區作品合韻論，依前章所錄之合韻譜，可知戲曲受實際語音影響極大，而與韻書頗有出入，故有大量合韻情形出現，是以本章專就明傳奇之合韻現象，以考察明代吳方言之語音特色。復將之與現今蘇州語音對照，以明語音變化之情形。第四章結論，說明本論文之研究成果，統計《全明傳奇》蘇滬嘉地區作品各項合韻之次數，並提出明代吳方言語音概貌。

　　本論文研究範疇雖限於蘇滬嘉地區作品，然一則此區作品實為明傳奇之主流，二則居明傳奇領導地位之崑腔即依此區語音而唱，是以其研究結果應頗能彰顯明代吳方言之特色。以此為基礎，進而陸續研究其他各地明傳奇作品之合韻現象，當可對近代語音之演變情形，有更深入之了解。

目　次

趙德華　通訊處：宜蘭市力新路 176 號
　　　　電話：07-2212342

M8210 國立成功大學中國文學研究所碩士論文

宋國青銅器彝銘研究

中華民國八十二年
研究生：潘琇瑩
指導教授：周行之先生

提　要

　　本文研究宋國青銅器彝銘：先以歷史學之方法考定之，不能者則予以存疑。再就文字學以考文字之通假，音韻之會通，書寫之承襲與流變。復就考古學以定器物形制，觀其與當時制度之同異。俾期達研究古文字之三大目的：
　　一、　溯文字本源；二、尋求經傳正詁；三、擴展古史資料。
　　第一章爲緒論，說明青銅器於歷史上因嘗遭七厄之破壞，故使金文研究之資料貧乏短缺。並略述本文之研究動機、方法與目的。
　　第二章追索宋之歷史，並由銅器彝銘所見諸公與《史記‧宋微子世家》世系表作一參證。而由宋史知宋乃商之後，且宋之地望與商相近，復由此以探宋之青銅器鑄造承自有商之先天優良條件。
　　第三章將銘文中出現宋公者別列一章。考之史籍，以明其生平事蹟。並就銅器形制、文字合諸考量，參以古代禮制，探討器物間之關係；推宋公鼎蓋與宋君夫人鼎蓋爲夫妻同鑄器。又於彝銘書體之特出者如：宋公戈、宋公得戈者皆作鳥蟲書，故追考鳥蟲書之分佈時間、空間，以爲銅器所屬年代得一有力之旁證。此外，從文字學之發現，以釋鐘鼎彝銘所見人名與史書載記相異之因；如宋公成、宋公差者等是。
　　第四章所收三器銘文中之人名，均未見《史記‧宋微子世家》，從字形以探，歷來諸家隸定似有不當之處。故以周法高之《金文詁林》、王延林《常用古文字字典》、高明《古文字類編》三書所收二百餘器之字，分類列表統計與器上銘文作一比較，又以《西清古鑑》、《續西清古鑑》甲、乙，郭沫若《周代金文圖錄及釋文》等書之諸文例作分析比較。
　　第五章將研究過程中所發現之困難、疑點綜合前賢之意見方法加以探究，並自我之研究所得試加分析、歸納整理。

目　　次

潘琇瑩　通訊處：台南市武德街 26 巷 6 號
　　　　電話：06-2267505

M8211 國立成功大學中國文學研究所碩士論文

蘇軾「以賦為詩」研究

中華民國八十二年
研究生：鄭倖朱
指導教授：張高評先生、廖國棟先生

提　要

　　「破體爲文」是文體創新變化的重要方法之一。詩歌發展至唐，其體大備，宋人思欲革創、自成一家，「以賦爲詩」便是一個重要手法。宋人中，蘇軾堪爲代表，因而本文就蘇軾「以賦爲詩」之表現爲研究重點。

　　本論文共分六章：第一章緒論，就「以賦爲詩」的理論基礎—「破體爲文」，及當前相關的研究現況概述之。第二章「以賦爲詩」之源流與定義，從辭賦的特質及詩賦交融的歷史因緣，來爲「以賦爲詩」尋求一個合理周延的定義，並略觀宋前「以賦爲詩」的成就。第三章東坡「以賦爲詩」的創作背景，分從賦體的流行、以才學爲詩之澆漑、宋詩意象結構方式的改變、宋詩題材內容的擴大、蘇軾的文藝創新精神等五方面來探究蘇軾「以賦爲詩」的形成原因。第四章東坡「以賦爲詩」的題材偏向，從東坡「以賦爲詩」所使用的題材中，可以發現其偏重比例懸殊，本章即分從寫物、寫景、抒情、記事四類八項來歸納東坡「以賦爲詩」在寫作題材上的偏好取向。第五章東坡「以賦爲詩」之主要藝術技巧分析，從意象的表現、如畫的建構，以及閎肆的風格三方面來分析「以賦爲詩」在不同層面的技巧表現。就意象表現而言，渲染刻畫、對比襯托、擬人生情等諸法，表現出了東坡「以賦爲詩」中活靈活現的意象。就如畫之建構而言，動態傳神、感官寫景、空間佈置等技巧組成了東坡「以賦爲詩」中，繪聲繪影的景物逼肖成就。而歷數、排比、典故鋪陳、博喻等技法，則促成了東坡「以賦爲詩」作品中，淋漓盡致之閎肆風格的展現。第六章結論，綜述本論文之研究成果及東坡「以賦爲詩」在宋詩上的貢獻。

目　次

鄭倖朱　通訊處：台北縣鶯歌鎮大湖路 132 號
　　　　電話：02-26793241

M8212 國立成功大學中國文學研究所碩士論文

蘇軾題畫詩藝術技巧研究

中華民國八十二年
研究生：戴伶娟
指導教授：張高評先生

提　要

　　蘇軾爲北宋文壇巨匠，詩書畫兼擅。關於整合融會的精神、努力技法洗煉的實踐、追求自成一家的抱負，固然是宋代詩人的自覺與共識，在大詩人蘇軾身上，更有具體而總體的表現。故研究蘇軾詩，可以看出宋代詩歌的走向。蘇軾嘗拈出「詩中有畫，畫中有詩」、「詩畫本一律，天工與清新」等美學命題，對於前人詩畫融通的現象有深刻的思考，在題畫詩的領域居有傳承與開拓之功。

　　本論文計分六章，第一章緒論部分簡述蘇軾題畫詩研究現況以及本論文切入的角度，並就本文所採題畫詩義界加以說明。第二章分別就詠畫題畫詩淵源、詩畫交融歷程、北宋書畫收藏品鑑與文人交遊酬唱風氣，以及儒釋道合流影響等方面，探討蘇軾題畫詩的文化背景。第三章始進入本文主題，分別就詩畫共通技巧與文學表現手法二大項，分析蘇軾題畫藝術技巧。第四章則就融情入景、象外見意、離形得似、比興寄託、壺中天地、以動襯靜各項，探討蘇軾題畫詩意境的形成。第五章爲蘇軾題畫詩所呈現的藝術風格舉隅。第六章爲本文結論。

　　約而言之，探討題畫詩從藝術技巧的分析著眼，不僅可以落實作品意境與風格形成的緣由，亦可以更爲清晰地理解作品所以動人之處，並進一步明白藝術技巧與作品內在的生命光華，是二而一的有機體。透過蘇軾題畫詩藝術技巧的分析，可以發現蘇軾承前人遺緒，並借鏡詩畫特長，發揮以才學爲詩、以議論爲詩，表現尚理、尚意的宋詩特質，展現豐富意境與多樣風格美，建構一個五彩繽紛的藝術世界。而經由本篇論文的討論，可知唯其詩人善於展現藝術技巧方面的才情，在藝術形象美的基礎上，融合敘事、抒情、議論之長，故能成就饒富韻味與豐美的題畫詩藝術。

目　次

戴伶娟　通訊處：高雄縣橋頭鄉仕隆路林厝巷 8 號
　　　　電話：07-6115181

M8213 國立成功大學中國文學研究所碩士論文

殷代卜辭中所見田獵方法考

中華民國八十二年
研究生：沈銀河
指導教授：黃競新先生

提　要

　　自甲骨文公諸於世，迄今已有九十餘年。近年來新資料不斷發現，其內容豐富，數量繁多，其中田獵卜辭及有關田獵記載尤其完備。但過去學者否定殷代田獵之社會性質而視爲遊逸活動。近來始爲學者注意，以田獵卜辭重新來解釋殷代社會生產活動，惟諸家考釋田獵卜辭稍嫌簡略。故本文基於甲骨文字考釋，論述殷代卜辭中所見之田獵方法，並以殷王之田獵活動而推論當時之田獵方式，了解殷代田獵性質。有關殷代田獵，以殷虛卜辭之史料最足徵信。

　　本文所引用之田獵卜辭，乃自《甲骨文合集》與島邦男之《殷虛卜辭綜類》中整理歸納選出。另外，亦從周代至漢代各文獻中有關田獵卜辭之記載加以比較，作出進一步分析，而證明殷代田獵方法。本文概分爲六章，首章「導論」，第二章爲「圍獵」，第三章「以陷阱爲獵」，第四章「以網罟爲獵」，第五章「以武器爲獵」，第六章「結論」。

　　殷代所用田獵方法甚多，工具亦極齊備，所捕捉之野獸種類及數量頗多。由此而見，殷人于田獵方面之知識與發展程度以及田獵對社會之重大意義。對農業而言，以「焚」田等方法致使土地不斷開發，墾殖農田，保護農田，發展農牧業。對日常生活而言，利用田獵中所獲獸類之肉、皮、毛、骨、角等。另外，對軍事活動而言，以「圍」、「逐」、「射」等方法作爲軍事演習。亦以田獵所捕捉之禽獸供祭祀時之犧牲。由本文所述，可證實殷代田獵活動，已頗具經濟生產價值。

目　次

沈銀河　通訊處：韓國漢城市江西區禾谷本洞 46 之 112 號
　　　　　電話：07-3473702

M8301 國立成功大學中國文學研究所碩士論文

荀學對日本的影響

中華民國八十三年
研究生：川路祥代
指導教授：宋鼎宗先生

提　要

　　本文內容凡分六章：第一章爲「緒論」；討論研究動機與方法。第二章爲「荀子外王學概論」；首先，討論荀子所處之政治、社會、學術環境爲何？以明時代背景賦予其人之影響。然後，討論荀子之自然觀、人性觀、政治觀、經濟觀、歷史觀，以明荀子外王學之思想基礎。最後，從王霸論、制度論、人材論、教育論之角度，來探討荀子如何構想統一禮治國家論。第三章爲「徂徠以前之日本儒學略史」；討論自儒學傳至江戶前期之日本儒學略史，以明徂徠以前日本所受之儒學影響。第四章爲「荻生徂徠與荀子外王學」；首先，討論徂徠所處之時代背景，以明所產生徂徠學之時代要求。次之，討論《讀荀子》於徂徠學上之價值爲何，以明徂徠對荀學有所興寄。然後，討論荀子與徂徠兩者思想基礎，有相通之處，以明徂徠學受到荀學影響而形成。最後，討論荀子與徂徠，兩者所提國家論，亦有相通之處，以明徂徠國家論受到荀子國家論之影響而形成。同時，討論徂徠提出荀子未提的一些概念，以明荀學透過徂徠而開始日本化。第五章爲「荀子外王學與近現代日本」；首先，討論近代天皇制度之思想形成過程，以明「徂徠—日本國學—水戶學—近代天皇制度」之思想脈絡。然後，討論現代日本之社會構造及人材教育理論爲何，以明現代日本與荀子外王學，有相通之處。第六章爲「結論」；綜述二至五章之大旨，期能闡明荀學「徂徠—日本國學—水戶學—近代天皇制度」的學術脈絡下，影響到現代日本社會。

目　次

川路祥代　通訊處：台南市富農街二段43段8號3F之1
　　　　　電話：06-2902414

M8302 國立成功大學中國文學研究所碩士論文

老舍劇作《茶館》研究

中華民國八十三年
研究生：申正浩
指導教授：馬森先生

提　要

　　全文除緒論及結語二章外，內容共分八章。第二章的研究主題是《茶館》的版本。歷來，《茶館》有多種版本，以不同形式問世。第三章裡，討論了創作背景。在和北京人藝良好關係之下，老舍創造了《龍鬚溝》，裡面所出現的地點「茶館」，較容易描寫出生活的典型場面，老舍又在《秦氏三兄弟》裡面再度嘗試過。後來在北京人藝的意見下，以「茶館」為主創造了《茶館》。第四章裡，討論了《茶館》的結構。《茶館》分作三幕及快板。利用「神話、原型批評」理論來分析作品，《茶館》呈現了結構上的弱點。第五章的研究主題是《茶館》之人物。《茶館》裡的人物歸納三大人物群：即第一、正面人物群；第二、負面人物群；第三、中間人物群等。第六章的研究主題是《茶館》之語言。老舍在《茶館》裡又一次發揮了北京話的素質。第七章的研究主題是《茶館》.之主題思想。作品裡明顯地反映了當時北京小市民和各階層的生活面面觀。而且以「烘雲托月」的手法來主張反帝國主義、反封建主義。第八章的研究主題是《茶館》的劇型。依據卡岡的美學理論來看，《茶館》屬於「樂觀的」悲劇。第九章的研究主題是《茶館》的文藝思想。

目　次

申正浩　通訊處：韓國光州廣域市北區龍鳳洞300　全南大學校　人文科學大學
　　　　　　　中文系
　　　　　電話：062-5303984　手機：016-648-3031
　　　　　email：modernchina1@hanmail.net

M8303 國立成功大學中國文學研究所碩士論文

宋代詠茶詩研究

中華民國八十三年
研究生：石韶華
指導教授：張高評先生

提　要

　　宋代詠物詩、詠物詞的寫作風氣可說是相當興盛。例如詠花詞、詠花詩、題畫詩……之類的詠物體，許多先進都曾作過精闢的研究。至於宋代的詠茶詩這一題材，據筆者的觀察，尚未有人觸及。但相關領域的研究，如飲茶藝術、茶學歷史、茶業文化……等內容，都已有學者予以探討。然而研究的取向，普遍重在歷史或社會文化的角度。諸類的著述之中，雖不乏詠茶詩作品賞析的部分，總體而言，取材並未完備，分析也不夠深入。其次，再就宋代茶文化的歷史，以及宋代詩歌的發展來看，宋代詠茶詩有其可觀處。故筆者認為詠茶詩研究，可謂一值得開拓的題材。基於上述理念，本文以宋代詠茶詩作為研究的專題。

目　次

石韶華　通訊處：台中市北屯區舊街 2 巷 41-12 號
　　　　電話：04-2345092

M8304 國立成功大學中國文學研究所碩士論文

《本韻一得》音系的研究

中華民國八十三年
研究生：林金枝
指導教授：竺家寧先生

提　要

　　《本韻一得》成書於乾隆年間，是屬於近代的韻書，本文主要在探討這本韻書的音系結構，並比較本書與中古和國語的語音關係，本論文共分七章，依序爲：

　　第一章緒論，重點在於介紹作者的生平，及作者成書的背景，並寫出本書的內容及特殊符號，便於讀者了解本書的概況。

　　第二章爲本書音系的編排，旨在說明本書聲母，韻母及聲調的體例及結構。

　　第三章爲聲母的討論及音值擬測，旨在探討《本韻》的聲母系統，依規律性音變，及個別性音變，列出《本韻》及《廣韻》的反切，說明音變的情形，然後作擬音。

　　第四章爲韻母音值的討論及擬測，分別分析陰聲韻，陽聲韻及入聲韻的歸併情況，並說明《本韻》韻母的音變情形，然後作擬音。

　　第五章爲聲調系統的討論，旨在探討《本韻》聲調情況及其特點。

　　第六章爲歷史的考查，旨在將《本韻》音係，與《廣韻》和國語比較，說明《本韻》在歷史上語音狀況。

　　第七章爲結論，將《本韻》在當時所表現的語音狀況和特色，作綜合的論述，並與前人的研究作比較。

目　次

林金枝　通訊處：台東市自強里新生路 308 號
　　　　電話：089-324769

M8305 國立成功大學中國文學研究所碩士論文

《淮南鴻烈》文學思想研究

中華民國八十三年
研究生：唐瑞霞
指導教授：陳昌明先生

提　要

　　魏晉南北朝之前，中國的文學理論，鮮有系統性的描述，大抵皆零星地散落在各類典籍之中，其中諸多非文學性著作，卻往往隱藏著影響文學的要素，頗有值得探索者，一如《淮南鴻烈》，此書雖旨在闡述治國思想與人生哲學、非為專門文學而作，然其中所蘊藏的豐富的文學思想，仍有其不容輕忽的價值。雖然在文學思想方面，《淮南鴻烈》缺乏理論性的集中論述，但後世不少文學觀點若溯其源，則多可在《淮南鴻烈》中找到。《淮南鴻烈》上承先秦，下啟魏晉，是一個相當重要的環節，雖缺乏整體的文學理論系統，但是卻為魏晉文學思想的發展，作了重要的準備工作。

　　本論文藉由運用劉若愚先生在《中國文學理論》一書中，透過檢討宇宙、作者、作品、讀者四個文學要素之間的關係，而提出的「藝術過程四階段論」（即相應四要素與四階段而生的形上理論、表現理論、審美理論、實用理論等），來框架出《淮南鴻烈》所蘊涵的文學思想。

目　次

唐瑞霞　通訊處：新店市百忍街 66 巷 25 號 5 樓
　　　　電話：02-29148424

M8306 國立成功大學中國文學研究所碩士論文

西晉之理想士人論

中華民國八十三年

研究生：陳美朱

指導教授：江建俊先生、陳昌明先生

提　要

　　西晉一朝是魏晉玄學史上「自然」與「名教」衝突最劇的時期，也是儒、道兩家思想由分裂到交融為一的重要契機。歷來在探討西晉玄理時，多由「理想聖人」義及玄學本末、有無的思想上發揮，亦即著重於群體綱紀的維持及政治制度的建立問題上。本論文則透過「理想士人」的命題，探討玄學重心由群體綱紀轉移到個體自由的西晉時期，士人如何在現實社會中安身立命，如何在皇權政治下出處進退，進而理解西晉士人的道德觀及價值觀的演變，以及「名教」與「自然」由衝突分裂到調合重建的理論發展過程。

目　次

陳美朱　通訊處：南投縣名間鄉東湖村 38 號
　　　　　電話：049-735111

M8307 國立成功大學中國文學研究所碩士論文

北宋夢詞研究

中華民國八十三年
研究生：趙福勇
指導教授：王三慶先生

提　要

本論文共分七章：

第一章、緒論敍述研究動機，確定詞作範圍，說明研究方法。

第二章、北宋夢詞中所見夢的特性由北宋夢詞中爬梳出詞人對夢之賦性的法，計有彌補現實、短暫、虛幻三項。

第三章、北宋夢詞的夢境內容與創作因由探討與夢境有關的詞作。茲將北宋夢詞所言及之夢境內容，歸納爲記男女愛情、憶舊交摰友、夢登臨遊賞、夢回歸故里、夢古人古事等五大類，並主要依循「有所思而有所夢」、「思極而夢」、「夢乃願望之達成」的理論，深入分析詞人的創作因由。

第四章、北宋夢喻詞作的探討研究將其他事物比喻爲夢的詞作。先依喻體所涵蓋的範圍，論述北宋夢喻詞作的表現層面。繼而略述「人生如夢」的感喟與莊子、佛家思想之關係。然後詳論詞人於體悟「人生如夢」的生命本質後，所呈現的兩種情感心態，以羈旅遊宦的柳永、識盡滄桑的晏幾道與貶謫轉徙的秦觀爲「抑鬱傷感」之代表，而以把握現在的晏殊、隨遇而安的歐陽修與黃州悟道的蘇軾爲「樂觀曠達」之代表。

第五章、北宋夢詞的寫作技巧闡明北宋夢詞不同於其他類型詞作的藝術手法，共計典故運用、對比技巧、連鎖手法三項。

第六章、餘論：蘇軾夢詞的拓展與不足比較蘇軾與其前北宋重要詞家的夢詞，進窺蘇軾拓展詞境之功，並對照蘇軾寫夢的詞與詩、文，以明蘇詞的不足。

第七章、結論：綜述二至六章的研究成果。

目　次

趙福勇　通訊處：台南市金華路 2 段 15 巷 25 號
　　　　電話：06-2651801

M8308 國立成功大學中國文學研究所碩士論文

徐復觀美學思想研究

中華民國八十三年
研究生：鄭雪花
指導教授：唐亦男先生、林朝成先生

提　要

　　徐復觀先生美學思想的形成，從外緣來說，由反省時代的文化脈動而來，在現代畫論戰中，徐先生予現代藝術以激烈的批判，在批判中透顯了對藝術品所繫的觀物方式和世界感的關切，這個主題在後來的《中國藝術精神》一書中，得完全顯題化。由此可見其重建傳統以批判現代的意向。再就內在理路的發展來說，徐先生的美學思想由人性論的關懷延伸而來，乃是生命美學的進路，依此進路，在理論的建構上，徐先生關切的是「生命」如何在藝術活動實現追求自由的可能，如何在審美觀照中通透萬物、擴大精神界域，達到主客互涉相融的境界，如何在創造活動中，經由藝術形相的構成，開顯存有的無限，在客觀世界中安頓自己；在歷史的脈絡上，徐先生追索著中國傳統的文學批評和繪畫品鑒中，關於主體生命和藝術形相的觀點，尤致力於闡發「文體出於情性」和「氣韻生動」二大文藝美學論題。本論文即從上述的面向中，嘗試將徐先生的美學思想以再現、重構，以彰其理論精蘊，並評估其價值所在。

目　次

鄭雪花　通訊處：台南市國民路165巷35弄7號
　　　　　電話：06-2688991

M8309 國立成功大學中國文學研究所碩士論文

北宋四大家理趣詩研究－以蘇、黃、二陳為例

中華民國八十三年
研究生：鍾美玲
指導教授：張高評先生

提　要

本論文共分七章：

第一章「緒論」：敘述研究目的、研究方法、與論文相關的研究現況，並爲理趣詩下定義。

第二章「宋代理趣詩形成的背景」：從文學發展及儒釋道思想的融合、理學的影響、社會國家的危機意識等，探討宋詩好議論說理的原因。

第三章「北宋四大家理趣詩的題材」：歸納蘇黃二陳理趣詩中所運用的題材、意象，證明詩人藉助感性的情景事物，融合知性的哲理議論，寫作出優秀的理趣詩。

第四章「北宋四大家理趣詩的藝術風格」：由理趣詩亦能呈現多樣化的風格，來證明詩人作品中蘊藏的生命哲理，是發乎真情的自然流露，藝術成熟的表現。

第五章「北宋四大家理趣詩的藝術技巧」：蘇黃二陳的理趣詩，在藝術技巧的運用上，或傳承前人，如以比喻、象徵、寓言、對比、用典等手法，使哲理的表現，含蓄精練，寓意深遠。

第六章「北宋四大家理趣詩的意境」：詩人以情景交融的方式，塑造了幽遠悠美的意境，傳達最難言的體會，闡釋想像的空間也最大，是理趣詩最高的藝術表現。

第七章「結論」：對二至六章作整體補充論述。

目　次

鍾美玲　通訊處：桃園縣龜山鄉萬壽路一段 75 號
　　　　電話：02-9026282

M8310 國立成功大學中國文學研究所碩士論文

《四書蕅益解》研究

中華民國八十三年
研究生：羅永吉
指導教授：林朝成先生

提　要

　　晚明三教合一論的風氣盛行，表現在文學、藝術乃至哲學思想與宗教上，所涵蓋的範圍極廣。就明末的佛教界來說，亦受到此一風氣的影響，慣稱爲明末四大師的雲棲袾宏、達觀真可、憨山德清與蕅益智旭，都出現儒釋調和的主張。本論文的研究，即是針對蕅益大師的《四書蕅益解》一書，以此書的思想內容爲核心，從儒、佛關係的角度，分兩方面探討：在內緣研究方面，直接從本書的思想著手，以探索蕅益大師如何以其獨特的「現前一念心」的佛教思想，對儒家典籍《四書》進行注解，而見其義理架構上的會通；並進而從儒典原文與蕅師解文的並排對照，窺見此書的詮釋方法。在外緣研究方面，則將此書置於蕅益大師的整體思想中加以定位，並置於儒佛交涉史的發展脈絡上來與教界中其他涉及儒釋關係的著作相比較，以凸顯此書在處理儒釋關係問題上的全面與圓熟，而見其價值。

目　次

羅永吉　通訊處：台北縣林口鄉台電新村 146 號
　　　　電話：02-6012308

M8401 國立成功大學中國文學研究所碩士論文

黃庭堅律詩的語言風格研究－以詞彙的運用現象為例

中華民國八十四年

研究生：吳幸樺
指導教授：竺家寧先生、張高評先生

提　要

　　語言風格是在語言材料的基礎上，在實際運用語言時所產生的現象，是在語言實踐中語音、詞彙、修辭的基礎上形成的特點的綜合的結果。亦即是由表現材料和表現手法所組成的表達手段中所展現出的作品的語言風格。

　　本論文乃就詩歌的表現材料－詞彙的運用分析，結合其表現手法，以及在當代文風、詩風的影響下，黃山谷律詩所呈現出的語言風格：「新奇瘦硬」。

　　本論文共分六章，第一章緒論，論述黃山谷詩的研究概況及研究方法。

　　第二章探索黃山谷所提出的詩歌理論和詩歌詞彙間的關係，以見山谷在創作上對其理論的實踐。

　　第三章是經由「實詞」運用的分析，即就其所採用的經籍中語詞、稗官小說語、佛家語、史書中的語詞，詞類的活用及人地名，以見山谷在詞彙使用上的「新奇」及「瘦硬」，和所表現出的「以才學為詩」的特點。

　　第四章分析的是「虛詞」的運用現象，分別就副詞、代詞、繫詞、連接詞、介詞及語氣詞等類加以論述。詩人為了創新，因而借鑑散文的筆法入詩，而虛詞的運用於詩歌中，即是典型的「以文為詩」；又此種非意象符號的屢用於詩，給原多是意象構成的詩歌，帶來「新奇」的藝術效果。

　　第五章則就色彩詞及數詞的修辭手法來論述山谷詩句的靈動、有力。

　　第六章為結論，總結黃山谷律詩所運用的詞彙所呈現出的風格特色。

目　次

吳幸樺　　通訊處：豐原市豐勢路 2 段 332 巷 19 弄 14 號
　　　　　電話：04-5231453

M8402 國立成功大學中國文學研究所碩士論文

《搜神記》與《嶺南摭怪》之比較研究

中華民國八十四年
研究生：林翠萍
指導教授：王三慶先生

提　要

　　本論文共分六章：

　　第一章「緒論」：說明研究動機、研究目的與研究方法，除指出六朝志怪小說對越南漢文小說產生影響，並進一步揭示中、越志怪代表作《搜神記》與《嶺南摭怪》比較研究之意義。

　　第二章「作品的問世與流傳」：為《搜神記》與《嶺南摭怪》作者與作品問題之探討。前人對《搜神記》之作者考證已詳，故著重在創作旨趣之分析，以及版本與流傳情形的探索；而《嶺南摭怪》因作者不詳，重心亦放在編纂旨趣之闡述，以及版本與流傳情形的探究。由於兩書之編纂旨趣皆在史官實錄精神的開拓與發揚，故民間文學保全之功甚鉅，而此民間文學之搜逸與存真，即是兩書得以廣泛流傳的重要關鍵。

　　第三章「故事類型及其意涵」：為《搜神記》與《嶺南摭怪》故事類型的確立及其意涵之解析。茲綜合前賢故事分類原則，將《搜神記》之故事區分為奇人異事故事、神鬼信仰故事、妖精變化故事、事物推原故事；而《嶺南摭怪》因部分篇章性質較傾向《搜神記》之後的宣佛小說，故多別列宗教靈異故事，以明兩書故事類型之根本差異。

　　第四章「內容與情節」：為《搜神記》與《嶺南摭怪》共同主題內容與相同母題故事的探討。此綜合性之評述，要在指出兩書故事相同意趣之所在，並藉以突顯中、越志怪小說類同故事的特色與價值。儘管《搜神記》與《嶺南摭怪》的作品多有主題思想雜陳之弊，但是中、越人民所共通的思想、感情與信仰，卻為文學情感的普遍性提供了更多的思考空間。

　　第五章「藝術成就與文學影響」：為《搜神記》與《嶺南摭怪》藝術技巧的剖析與對後代文學影響層面之探討。藝術技巧部分，分別從語言文字、情節結構、人物刻畫三方面進行分析與討論，並藉以揭示出中、越志怪小說獨特的藝術魅力；文學影響部分，謹將重心放在兩書對小說文體的啟發與貢獻上，並藉此尋繹出中、越志怪小說由志怪過渡到傳奇的演進歷程。

　　第六章「結論」：為中、越志怪代表作《搜神記》與《嶺南摭怪》文學成就之總評。

目　次

林翠萍　通訊處：台中縣潭子鄉復興路一段 43 號 12F
　　　　　　電話：04-5322143

M8403 國立成功大學中國文學研究所碩士論文

日本國字研究

中華民國八十四年
研究生：松田貴美人
指導教授：謝一民先生

提　要

　　漢字雖爲中國固有的文字，但由於與外國的文化交流，這些漢字曾經傳到鄰邦，影響到其他國家的文字與文化。位於東洋的日本也不例外，日本的文字文化，若是沒有中國漢字文化的幫助，就不可能發生了。也可以說，漢字傳來之前的日本本身沒有獨特的文字。有了中國漢字，才開始有了日本文字文化。後來，日本人的祖先，是以中國的漢字爲基礎，而造成日本獨特的漢字，這就是所謂的「國字」。

　　然而記載關於「國字」的字書甚少，更何況專門研究「國字」的字書更少。於是本文將《國字考》所收的「國字」一〇一字，逐一檢析，以及考察「國字」的存在意義。

　　本論文的內容分爲全五章，第一章爲日本使用漢字的情況，說明日本人如何運用由中國傳來的漢字。第二章爲日本文字發展史，先說明漢字傳來以前的日本並沒有獨特的文字，然後介紹漢字傳來以後的日本文字的發展。第三章爲日本字典發展史，就是解釋在日本的編輯字書的歷史，並介紹在這篇論文中，所使用的字典。第四章爲「國字」解釋，基於《國字考》等的字典，進行「國字」的檢證，結果發現《國字考》所載的「國字」一〇一字中，可當爲「國字」的只有五十四字而已，其他並不是日本獨特創造的「國字」。第五章爲結論，說明本論文的研究結果，以及關於「國字」的考察結果與新的發現。

目　次

松田貴美人　通訊處：日本國北海道函館市西旭岡 2 丁目 43-6
　　　　　　電話：0138504425

M8404 國立成功大學中國文學研究所碩士論文

戴震孟子學研究

中華民國八十四年
研究生：柯雅卿
指導教授：唐亦男先生

提　要

　　研究戴震者雖多，但鮮少有人專門研究戴震與孟子之間的連繫，故筆者擬借由對戴震詮釋孟子的思路，來觀察在先秦時代的孟子到舊時代告結的清代，孟子的詮釋到底產生何種差異，而其中的距離、所透顯的涵意又是如何。故筆者第一章簡略回顧研究戴震的情形並對題目有所釋義；第二章便由戴震孟子學的背景入手，考察戴震所處的時代學風及戴震個人特有的學術面貌。第三章主要探討戴震孟子學的新詮釋，筆者試著層層剝繭，將戴震孟子學的意圖及其吸納古籍層層轉化的過程呈現出來，並對後世在戴震定位上的爭議加以釐清。第四章則總結全文，將戴震的影響與成就及其孟子學在清代中葉的地位做一個衡定。

目　次

柯雅卿　通訊處：台北縣板橋市中正路自強新村 48 號 2 樓
　　　　電話：02-29673242

M8405 國立成功大學中國文學研究所碩士論文

紮根泥土的青年作家—洪醒夫及其文學研究

中華民國八十四年
研究生：陳錦玉
指導教授：林瑞明先生、 陳昌明先生

提　要

　　洪醒夫，原名洪媽從，1949 年出生於彰化縣二林鎮北平里，1982 年因車禍不幸去逝，得年僅三十四歲。

　　洪醒夫的文學所處時代，正是戰後台灣文學本土自覺的關鍵年代。自六○年代末（1967）開始發表作品，因受當時台灣現代主義文風的影響，他寫了許多存在主義小說的作品，但是此時他尚處於文學摸索階段，因此有許多不同風格的嘗試性作品，從他的早期作品到成熟期作品這段歷程，可窺知六○年代至七○年代台灣文壇的轉變軌跡。又從其與《後浪》詩刊同仁及當時青年詩刊的掘起，可看出自 1972（？）－1973 年關傑明、唐文標所引起的現代詩論戰之後的詩壇現象。接著，洪醒夫以農村實的小說之受文壇肯定，可自 1976－1979 年的鄉土文學論之後，臺灣文學傳統中的現實主自 1976－1979 年的鄉土文學論之後，臺灣文學傳統中的現實主義精神獲得普遍共識。而洪醒夫的農村小說，亦可溯源日據時代以來農村文學傳統，聯結成一脈相承的系譜。

　　其作品類別涵蓋很廣，舉凡現代詩、小說（短篇爲主）、散文、報導文學、評論都有其心血結晶。但他不是個多產作家，其文學創作態度嚴謹，作品在發表前後，都會細心校對、修改。並且，他身兼國小教職及雜誌助編，文學創作只能在餘暇之時從事。

　　農民子弟出身的洪醒夫，對於市井小人物的刻劃入微，深具代表性，且是能透視人性的藝術哲學。

目　次

陳錦玉　通訊處：彰化縣溪湖鎮鎮安路 131 號
　　　　電話：04-8850766

M8406 國立成功大學中國文學研究所碩士論文

屈原與楚文化研究

中華民國八十四年

研究生：黃碧璉
指導教授：陳怡良先生

提　要

　　吾人以文化的視角來觀照屈原，可以探討出他本人、他的創作都受到荊楚文化重大的影響，並且成爲荊楚文化的驕傲所在；而透過屈原本人及其作品的研討，也可以認知到荊楚文化在中國文化史上有一定的地位在。是以倘能從文化的觀點著手立論，並參酌史料文獻、出土文物的考證，而探究出屈原與荊楚文化有著密不可分的依存關係，進而明瞭屈原與荊楚文化對中華文化、甚至是世界文化，都有著偉大貢獻與價值，則吾人對於屈原本人及其作品的了解，將能掌握的更爲確切。

目　次

黃碧璉　通訊處：高雄市中正一路 195 巷 5 弄 3 號
　　　　電話：07-7519467

M8407 國立成功大學中國文學研究所碩士論文

《蒙古字韻》音系研究

中華民國八十四年
研究生：楊徵祥
指導教授：李添富先生

提　要

　　元代是一個南北合流，語音變化較劇，而且亦逐漸走系統一的時期。這個時期的語音面貌，無論是在聲母、韻母以及聲調各方面，都明顯與《切韻》的音韻系統不合。而在元代諸韻書當中，《中原音韻》的探索，已在前輩學者的研究下，有了相當的成果；《古今韻會舉要》的研究也正方興未艾；在探討《韻會》音系時，不可或缺的是對「蒙古韻音」的考查，而《蒙古字韻》（1269－1308年間）這麼一部「蒙漢對音」的韻書，正是最全面且最系統地反映當時實際語音面貌的一部韻書。

　　然而有關於《蒙古字韻》所載記的音韻系統，歷來論者較少；本文將《蒙古字韻》9126個韻字逐一檢析，以期可以構擬出《蒙古字韻》的語音面貌。

　　本論文內容共分四章：首章為緒論，介紹《蒙古字韻》這一部韻書、元代所頒行的八思巴字，以及本文寫作的研究動機。第二章為《蒙古字韻》之聲母，先說明研究《蒙古字韻》聲母之方法，然後逐一討論《蒙古字韻》的聲母，而著重於《蒙古字韻》與傳統三十六字母不同的地方。結果發現《蒙古字韻》之聲母數一共有三十五個。第三章為《蒙古字韻》之韻母，則是將《蒙古字韻》十五個韻部逐一研析，依其八思巴字字頭對音之異同，區別《蒙古字韻》之韻類，結果發現《蒙古字韻》一共有七十個韻類。第四章為結論，說明本文之研究成果，以及考察過程中的一些考察結果與發現。

目　次

楊徵祥　通訊處：高雄縣田寮鄉南安村崗安路 95 號
　　　　電話：07-6373188

M8501 國立成功大學中國文學研究所碩士論文

台灣日據時期短篇小說中的女性角色

中華民國八十五年
研究生：丁鳳珍
指導教授：吳達芸先生、林瑞明先生

提　要

　　台灣日據時期的女性身陷「父權、資本家與殖民者」三重宰制的歷史處境，使得當時的小說家（大多數是男性作家）特別熱衷於書寫女性。女性角色以她們的肉體與靈魂、生命與精神豐富了日據時期的台灣文壇，其中屈從妥協的宿命女性大多象徵著台灣人的悲情命運；而獨立自主的抗命女性則暗喻了台灣人未來生活的方向。要探究台灣日據時期短篇小說中的女性角色，無法忽略女性與當時的「社會權力結構」，身處不同的社會權力位階，對於女性的一生有很大的影響，同時也影響了作家書寫女性角色時的著眼點。男性作家對女性的書寫大多著重在角色與社會之間的辯證關係，女性作家則較重視角色本身的心情、意識與精神世界。

目　次

丁鳳珍　通訊處：彰化縣埔鹽鄉西湖村大新路 2 巷 85 號
　　　　　電話：04-8652375

M8502 國立成功大學中國文學研究所碩士論文

元雜劇中的通俗劇結構

中華民國八十五年
研究生：吳姍姍
指導教授：馬森先生

提　要

　　元雜劇是中國戲曲史的一個黃金時代，然我國古代之戲曲理論並不發達，因此古典戲曲的分類觀念亦不明確。本文以西方的文類概念來分析元雜劇，討論元雜劇的情節結構，而其主要的情節特色－善惡有報即是西方通俗劇所強調的「詩之正義」，故元雜劇是一種通俗劇。由於通俗劇是西方的戲劇種類之一，故第一章緒論，以通俗劇的定義與特色開始，先把通俗劇確定出來。再由於通俗劇是一個翻譯名詞，目前學術界的研究成果有許多歧異之處，筆者歸納出來有三方面的不同看法。

　　第二章戲劇結構與情節結構，此章條析情節的定義、特性、類型、以及情節與故事不同之處，說明戲劇結構就是情節結構，而且情節是戲劇最重要的結構。

　　第三章以情節結構爲基本考量，分析元雜劇的情節，本文摘取《合汗衫》、《竇娥冤》、《漁樵記》、《鐵拐李》四本劇本，排比出各劇的情節結構，並得到元雜劇的情節特色有四：一、情節公式化，二、人物類型化，三、主題世俗化，四、結尾大團圓，而這四個特色都與「善惡有報」的觀念密切相關。

　　第四章則進一步以善惡有報的觀念來討論元雜劇的情節，蓋善惡有報的文學作用論，在西方即是「詩之正義」一詞。意指作家以文學的方式表達出一個他心目中的理想世界，此世界是作家所寄寓的，亦與現實世界有所差距。而中國的文學作用論起於詩教，戲曲理論並沒有發展出這個觀念，所謂勸善懲惡其實是從史鑑傳統借過來用的。然古典戲曲理論雖沒有「詩之正義」的觀念，但是元雜劇作家在創作時，其實已經利用了「詩之正義」而不自覺，只是元雜劇作家最後把此作用又扣在君主身上，君王無道時則轉附在人間某個俠義人物那裡，以此解釋天道人道合一。

　　第五章結論，經由前面幾章的分析，可以看出元雜劇所呈現的特色與西方通俗劇十分相似。因此，目前對中國古典劇曲的研究，多數提出的結論認爲元雜劇是悲劇、喜劇、悲喜劇等，而以西方的戲劇分類觀念來看，毋寧說它更象通俗劇。

目　次

吳珊珊　通訊處：台南市裕農路 298 號 C 棟 11-2
　　　　電話：06-2353734

M8503 國立成功大學中國文學研究所

模擬、動作、境界之研究

——以姚一葦《藝術的奧秘》為中心

中華民國八十五年
研究生：林秋芳
指導教授：林朝成先生

提　要

　　《藝術的奧祕》是姚一葦先生探討藝術理論最早的一部書，從中可以窺見姚先生對藝術本質的界定。筆者之所以選擇模擬論、動作論及境界論做為研究的中心，有三個主要原因：首先，姚先生在《藝術的奧秘》及其他文藝著作，無不透顯「模擬」及姚先生之藝術本質論的思考基礎，為溯本追源，所以先解析姚先生的模擬觀念；再來，動作論涉及姚先生對作品結構的認知方式及實踐批評的理論基礎，所以在藝術本質論探究之後，接著討論藝術結構的問題；然而實踐批評必帶著價值論斷，所以在最後一章討論姚先生的境界論，從「作品→讀者」、「作品←讀者」的評價活動看姚先生對藝術價值的肯定。從模擬、動作到境界則完成了姚先生在《藝術的奧秘》所提示的藝術本質、結構及價值討論。

　　筆者的研究方法有兩個層次：首先將模擬、動作及境界放在姚先生的整體的藝術理論上思考，探討其定位及意義，因此文獻的引用旁涉姚先生的《詩學箋注》、《欣賞與批評》、《戲劇與文學》、《美的範疇論》、《審美三論》、《戲劇原理》以及《戲劇與人生》等書，但是思考的核心仍舊以《藝術的奧秘》所提示的藝術觀念為主；其次將模擬、動作及境界放在藝術活動之全部過程的層次上思考，探看姚先生在《藝術的奧秘》所論述的理論是否在作者、作品、讀者及世界的四個面向上有理論上的不周全，並企圖以同情的理解為姚先生疏解，最後再詳加探討姚先生的藝術理論的思考方式。

目　次

林秋芳　通訊處：台中縣太平鄉光興路 101 之 2 號
　　　　電話：04-2772156

M8504 國立成功大學中國文學研究所碩士論文

形神理論與北宋題畫詩

中華民國八十五年
研究生：林翠華
指導教授：張高評先生

提　要

　　本文的主題－「形神理論與北宋題畫詩」，形神理論作為古典美學的重要範疇，隨著文學藝術的發展，其內涵不斷的擴大並深化；題畫詩融通詩畫，借鑒詩畫美學又自成一家，能寫畫外意又有畫中態，以出位之思救偏補敝，超越詩與畫的媒體限制，而且詩中往往有許多珍貴的美學理論。將形神理論與題畫詩結合起來，討論其間相互的影響，是本文寫作的目標。

　　為了陳明形神理論與北宋題畫詩的關係，在緒論之後，第二章討論從先秦唐五代（即北宋之前）以來形神理論的發展及其內涵，此乃縱切面的討論。第三章論宋代文化意識對形神理論的影響，以顯出北宋一代的文化特色，這是橫切面的討論。

　　第四章起將形神理論與題畫詩結合，先從創作、作品層面論形神理論對題畫詩的影響；簡述題畫詩的發展、北宋題畫詩的特色，然後從「存形」（歌詠畫面）「傳神」（抒情寓意）展開論述形神理論對題畫詩的創作的影響。第五章論題畫詩中的形神理論，題畫詩最可貴的地方就是其中蘊藏了極珍貴的文藝理論，這些理論不僅代表畫家集其經驗之所得，更是當時有思考能力的知識分子對文藝理論作深入省思之後的結果。本章分為四段：一是對形似的肯定，二是對神似的讚美，三是達到寫形傳神之審美標準的創作心理過程，最後將形神之辨做再一次的整合討論，以明形似與神似的辯證與統一。第六章以具體之詩作為例，討論其創作方法、藝術技巧，企圖以藝術技巧解評存形傳神之祕，對達到形神理論範疇中的審美理想提出一些看法，算是對形神理論的補充說明。最後一章則是結論。

目　次

林翠華　通訊處：台中縣龍井鄉三港路 428 巷 37 弄 16 號
　　　　電話：04-6395889

M8505 國立成功大學中國文學研究所碩士論文

唐君毅論道德理性與生死觀之研究

中華民國八十五年
研究生：施穗鈺
指導教授：林朝成先生

提　要

　　一般說來，與死生終極問題關涉最多的就是宗教問題，然筆者卻以道德理性與生死觀並提，理由有二：一是，唐先生所企求的是「真實存在而無不存在之可能」的生命存在，如此方有不朽的可能性；而這則有賴人能自覺地依道德理性以與境相感通，此即唐先生謂「盡性立命」者「死而不亡」之深意所在。二是，唐先生論及死生問題所揭示的哲理在"盡生死"而"超生死"之道，意即「死」是經由「生」的理解與詮釋而得以凸顯，足見唐先生「生死共觀」的態度，表現在對今世生生不已的投入，而非彼岸他界的希求，所以，如何能自安此身、自立此命，進而有精神主體之大信，仍根據道德理性之判斷而來。

　　故本文乃以道德理性、生死問題與生命存在爲三個關鍵而環環相扣不可分。是以，文章結構之安排，凡分五章：一章爲「緒論」，簡述研究之緣起與方法。二章爲「道德自我之建立」，自道德理性、實踐工夫、與精神超越之形上基礎等三方面，加以綜觀討論，以明唐先生生死觀之前提。三章爲「人交道德之生死觀」，首先說明唐先生對於「死」的問題，不僅重視，且以爲可問、應問；並通過生者與鬼神之幽明徹通，指出唐先生之生死觀，所看重者爲生者；進而就「三祭禮」爲唐先生新宗教觀之主軸思想，著手討論，以明其生死觀乃情、理合一。四章爲「生命存在」，將個體生命放大至文化興滅層面來討論，敘述個體之主觀存在，不擔心生死之問題，因文化傳承可使其生命存在，以明唐先生之生死觀爲死生相續、人文化成。五章爲「結論」，首先對唐先生之道德理性與生死觀的提問與回應做一彙整；並綜述二至四章的內容旨要，以肯定其人文理性之精神，及其揭示生死觀之意義。

目　次

施穗鈺　通訊處：台南市國民路 532 巷 21 號

　　　　　電話：06-2678341

M8506 國立成功大學中國文學研究所碩士論文

敦煌寫本張敖書儀研究

中華民國八十五年
研究生：黃亮文
指導教授：王三慶先生

提　要

　　書儀爲古代圖書儀住之一，緣起於當日社會需要而編纂之行用儀節及書信格式，具有反映社會現象之功用。其興起於魏晉南北朝盛於隋唐，衰於宋代，是以現今所見書儀僅餘宋代司馬光所作書儀，餘皆已亡佚。敦煌十七號洞窟卻因氣候關係，保存多種已佚典籍，自本世紀初開啓以來，即引起舉世學者之注目。書儀寫本即是其中之一。本論文取敦煌書儀寫本爲題，觀敦煌書儀裏中，以張敖所著爲敦煌地區作品，且年代在晚唐，除可與中原地區書儀相較外，又上承六朝隋唐之作，下啓宋代餘緒，是透過張敖書儀之研究，可以董理書儀沿革之梗概，進而考見諸種禮俗變化。

目　次

黃亮文　通訊處：台南縣永康市中正路 575 巷 21 號
　　　　電話：06-2542953

M8507 國立成功大學中國文學研究所碩士論文

王先謙《荀子集解》研究

中華民國八十五年
研究生：黃聖旻
指導教授：宋鼎宗先生

提　要

　　王先謙的《荀子集解》，付梓於光緒十七年，是清代諸子復興時期流傳下來的重要著作，今日仍爲研荀者案頭必備的書目。由於原籍去今日久，今日的研究人員，往往必須通透各校詁名家的詮釋，才能進入荀學的堂奧中，《集解》便是其中最被廣泛引據的門徑，自然，《集解》的著眼處，也會對後學的方向起著指標性的作用。本論文的寫作目的，便企圖透過對《荀子集解》一書的分析，探討荀學的學術脈絡，因此，本文的研究路徑，取決於呈現學術風貌所必須的幾個斷面，其中包括學術流變的外緣環境、學術內部體系的構架，以及作者治學態度對學術本身的扭差，希望藉由這三個方向的羅織，映照出王氏《集解》在學術上的成就。

目　次

黃聖旻　通訊處：高雄縣田寮鄉南安村崗安路 95 號
　　　　電話：07-6931773

M8508 國立成功大學中國文學研究所碩士論文

家，太遠了—朱西甯懷鄉小說研究

中華民國八十五年
研究生：楊政源
指導教授：馬森先生

提　要

　　朱西甯爲 60 年代的一位重要作家，他最爲人樂道的小說作品如〈狼〉、〈鐵漿〉等均是以大陸時期的所見所聞爲題材寫成，而本研究即是以此類作品爲研究對象，探討其藝術成就並文學史地位。

　　首先，我們整理朱西甯的所有作品，發覺其文學歷程可分三期，懷鄉小說正是第二時期。其次，我們歸納懷鄉小說時期的作品，找出最有特色的兩點－人物與主題。最後，我們便以前述的成果爲基礎，納入泰納的藝術理論尋找朱西甯懷鄉小說的歷史地位。

目　次

楊政源　通訊處：屏東縣潮州鎮三星里三福街 15 號
　　　　電話：04-7800185

M8509 國立成功大學中國文學研究所碩士論文

《西遊記》詞彙研究—論擬聲詞、重疊詞和派生詞

中華民國八十五年
研究生：楊憶慈
指導教授：竺家寧先生

提　要

　　《西遊記》是「集體累積型」的小說，它是由明代吳承恩在宋元以來的話本、戲劇，及民間神話傳說基礎上，發展而成的章回體白話長篇小說。故事的實史支點則是唐代玄奘法師西行求法的事蹟。其次文字分為兩大部分：散文白描、韻文歌詠。本論文以散文部分為研究範圍，企圖由乾淨俐落，已純粹白話的散文中，反映《西遊記》語言實況。例如：「將」、「著」等字，雖仍沿用至今，但在用法上已略有差異：「動詞＋將＋去／來」，表動作的開始；「著＋某人＋動詞」，作「派遣」解……等句型，均僅見於小說，而不見於現代的語言習慣；另外如：擬聲詞的形式及用法、重疊詞構詞和語法功能，以及派生詞加詞綴的構詞規律，或多或少都與現代漢語習慣有所差別。

楊憶慈　通訊處：高雄市楠梓區德民路 606-2 號
　　　　電話：07-3611521

M8601 國立成功大學中國文學研究所碩士論文

東漢辭賦與政治

中華民國八十六年

研究生：何于菁

指導教授：廖國棟先生

提　要

　　兩漢辭賦發展與大漢帝國封建統治具有相當密切的關係，西漢辭賦因帝王之愛好而成長、茁壯。東漢辭賦亦隨著東漢政治情勢的發展，逐步轉變出不同於西漢的辭賦風貌，這是在觀照東漢辭賦所不能忽視的重要角度。如果無視於東漢政治生態環境對東漢辭賦的影響，便很難清楚地勾勒出東漢辭賦的真實面貌，因此，本文就以東漢辭賦與政治之間的關係作爲探索研究的重點。

目　次

何于菁　通訊處：高雄縣岡山鎮華園一路 58 號
　　　　　電話：07-6213197

M8602 國立成功大學中國文學研究所碩士論文

台灣南社研究

中華民國八十六年

研究生：吳毓琪
指導教授：陳昌明先生、施懿琳先生

提　要

　　本論文以台灣南社研究爲題，在行文架構安排上，先於第一章說明本論文之研究方法，第二章探討南社成立及其發展所處的背景環境，第三章則討論南社的創社動機、組織概況、文學活動及社員背景，第四章則分述每位重要詩人之傳略，統合南社詩作，並分析詩作之藝術性。第五章則歸結上述各章，期能確立南社在台灣文學史上的地位。

目　次

吳毓琪　通訊處：高雄縣鳳山市鳳松路 114 巷 28 號
　　　　　　電話：07-7463428

M8603 國立成功大學中國文學研究所碩士論文

先秦儒家政治理論研究

中華民國八十六年
研究生：李宗定
指導教授：林朝成先生

提　要

　　本論文主要闡明先秦儒家所提出的政治理論，以及在具體實行中遭遇到的問題。在儒家整個思想體系中，對於政治理論的設計及政治思想的建構，佔了極重要的一部分，孔子以「仁」為道德主體，人生而為人的價值，便在於實踐「仁」。孟子繼承孔子的想法，更進一步地明指性善之說，樹立儒家道德根源的主體性。而孔孟對政治體制的設計為一「道德政治」，而對個人與國家的關係可以「內聖外王」四字概括之。至於先秦最後一位大儒－荀子，則強調「禮」的重要，突顯禮治主義的客觀精神，使得先秦儒家在戰國末年，產生了兩大思想體系。本論文即針對先秦儒家的政治理論作一深入探討。

目　次

李宗定　通訊處：台中市南屯區中台路 321 巷 8 號
　　　　電話：04-3898912

M8604 國立成功大學中國文學研究所碩士論文

成玄英《道德經義疏》研究

中華民國八十六年
研究生：林佳蓉
指導教授：林朝成先生

提　要

　　道教，是中國唯一本土的宗教。它的產生，和道家思想有著極其密切的關係。尤其《老子》書中對於「道體」的描述，構成了道教思想中，對宇宙生成，或者形上本體的基礎論點。《老子》這部思想鉅著，也因此成爲道家以及道教共同尊奉的「經典」之一。隋唐時代，由於歷經魏晉南北朝長時間的發展，道教不論是在宗教組織或者是宗教義理上，都日漸成熟；而與佛教的爭論，到了初唐，則因爲政治、社會及思想種種影響下，更形白熱化。因此，道教中人，試圖重新詮釋《老子》，企圖從《老子》對「道體」的討論，爲道教義理尋求一條更精緻的出路。成玄英《道德經義疏》便是這樣的一部著作。他試圖融合玄學、道教對於「道體」的體會，並且徵引佛教思想，爲老子的「道」開創出另一個新的意涵，特別是他的「重玄之道」，更可以說是成玄英詮釋「道」最爲特出，也最爲學者所重視的部份。透過成玄英《道德經義疏》的討論，可以看出《老子》思想在唐代，呈現出何種新面，也可藉此理解唐代道教在義理上的發展。

目　　次

林佳蓉　通訊處：高雄縣鳥松鄉本館路文明巷 1 弄 3 號
　　　　電話：07-3834195

M8605 國立成功大學中國文學研究所碩士論文

高陽歷史小說《胡雪巖三部曲》研究

中華民國八十六年
研究生：高若蘭
指導教授：馬森先生

提　要

　　高陽是近代華人社會中最著名的歷史小說作家，在長達四十多年的專職創作歲月中，高陽一共創作了 75 部小說，符合本文歷史小說定義者則有 44 部，不論是在小說技巧或是史料改寫方面都達到了相當高的藝術成就，並且普遍地受到讀者們的熱烈好評。

　　本篇論文採用文獻探討法與文本分析法，針對高陽作品中最爲暢銷的《胡雪巖三部曲》作深入的學術研究，期冀能從高陽身上透視歷史小說這種古老的類型性文學演變至廿世紀時究竟呈現出何種特質？而高陽的歷史小說作品又具有什麼樣自成一家的個人風格？其銳不可擋的通俗魅力所在何處？高陽一生中最重要的代表作《胡雪巖三部曲》具有那些優缺點？爲何高陽筆下的「胡雪巖」能贏得華人社會的高度認同，樂於將「紅頂商人」一詞當作商人的最高美譽？最後再歸納闡述高陽歷史小說的價值與地位。

　　本篇論文的研究結果是給予高陽肯定的評價。因爲我們從高陽的歷史小說中可以感受到高陽對歷史的溫情觀照，而這種歷史情懷是高陽長期浸潤於歷史文化遺產中而對人生與命運所興起的滄桑感悟，而抒發爲文字細細傾訴歷史與生命不可分割的臍帶關係，使高陽的歷史小說具有一種超常的力度與高貴。雖然高陽的作品仍有其爭議性，例如相當缺乏動作性情節，細節堆砌過多而有妨礙情節推展之嫌等等，而備受講究結構美學的學者的批評。然而他的作品精彩處也正在於此，層層的細節描述不但使人物形象越來越真實可感，也使整個時代背景的氛圍更爲立體濃厚；若將高陽所有關於清代的歷史小說結集起來，當不愧爲龐大細膩的清朝斷代史及社會風俗誌，具有相當高的藝術價值，也形成了他歷史小說系列作品的史詩品格，足以獨創爲「高陽體」歷史小說。

目　次

高若蘭　通訊處：台北縣新店市三民路 75 巷 16 弄 9 號 1 樓
　　　　電話：02-29103166

M8606 國立成功大學中國文學研究所碩士論文

《牡丹亭》曲辭運用賦體技巧之研究

中華民國八十六年
研究生：張美慧
指導教授：廖國棟先生

提　要

　　《牡丹亭》無論在內容取材或文字形式上，其成就都是最引人注目的，不過對於湯顯祖的文字駕馭，戲曲評論者卻有褒貶不一的看法，其主要的焦點在於"賦化"一舉。本論文即以《牡丹亭》運用賦體的表現技巧，及所呈現的意義為研究重點。本論文分為六部份：
　　第一章緒論，敘述問題的產生，代表作，以及研究方法。
　　第二章先從賦體的外在特徵，內在特質進行整理說明，並從"文化美學"的角度觀察賦體和後世其他文學間所具有的相同的內在意識。
　　第三章由湯顯祖的時代背景切入，分析"傳奇辭賦化"產生的內因外緣和審美效果。
　　第四章以《牡丹亭》為實際的例證，見出賦體表現技巧在傳奇曲辭創作中運用的狀況。
　　第五章審視《牡丹亭》運用賦體藝術表現技巧後，所引發的轉變和影響。　第六章結論。

目　　次

張美慧　通訊處：桃園縣大溪鎮僑愛里 395 號
　　　　電話：03-3803165

M8607 國立成功大學中國文學研究所碩士論文

北魏諸帝對佛教的態度及其管理政策之研究

中華民國八十六年

研究生：連秋惠

指導教授：林朝成先生

提　要

　　在中國古代的君主集權政治下，宗教與政治之間常有某種程度的結合或衝突。佛教自傳入之初即與中國傳統文化相互影響，佛教發展與中國政治的關係更是一個非常複雜的問題，其中牽涉了：政治對佛教的影響和決定作用，以及佛教對政權的相應和處理方式，佛教以一外來宗教形態是如何在中國政權主導下傳佈發展？它如何憑藉政治的力量融入中國文化，其中的進行過程及其呈現面貌如何？就政治與宗教的發展關係來看：北魏王朝自太祖道武帝即位建國開始，其後繼位諸帝在位時間並不算長，但是他們對於佛教的推展倡導卻極熱衷，其原因何在？而諸帝對於佛教僧團的態度又如何？在建國之初，國家體制仍未完備的情況下，如何將佛教僧團納入管理？是以，筆者就政治與宗教之層面切入，探討北魏諸帝對佛教的態度及諸帝對佛教的管理方式，期能更加了解北魏時期佛教在發展過程中與政治之間的接觸及其差異性。

目　次

連秋惠　通訊處：基隆市中正路 164 號
　　　　　電話：02-4289922

M8608 國立成功大學中國文學研究所碩士論文

《兒女英雄傳》詞彙研究—論重疊詞、派生詞和熟語

中華民國八十六年
研究生：陳文祥
指導教授：竺家寧先生

提　　要

　　一套完整的詞彙學應包含四個方面：詞形、詞義、詞變、詞用。詞彙學內容雖然包含這四個方面，可是，由於筆者的能力有限，是以，論文將從認識詞彙學的第一步，也是較容易掌握的部份－「詞形」出發，從構詞學角度切入作研究。本論文凡六章，主要研究方向有四方面，簡述如下：

　　第二章：《兒女英雄傳》「重疊結構」研究

　　第三章：《兒女英雄傳》派生詞研究

　　第四章：《兒女英雄傳》詞尾「兒」研究

　　第五章：《兒女英雄傳》熟語研究

　　初步工作是先整理出《兒女英雄傳》重疊詞、派生詞、詞尾「兒」、熟語的相關語料，找尋例證，加以摘錄引用，再進行語料的分類；然後鎖定重疊詞、派生詞、詞尾「兒」、熟語之詞形、結構，藉由語言的描寫法、統計法或對比法進行語料的分析，找出其語言特點，並加以分析歸納，以呈現語言共時現象爲主要的目的，期許從中窺探《兒女英雄傳》之語言特色。

目　　次

陳文祥　通訊處：台北縣三重市文化北路 131 巷 3-2 號 4 樓
　　　　電話：02-29751970

M8609 國立成功大學中國文學研究所碩士論文

漢代詞書與社會文化

─由《爾雅》、《方言》與《釋名》觀察

中華民國八十六年
研究生：陳芬琪
指導教授：竺家寧先生

提　要

　　詞彙與社會發展的關係密切，詞彙的內容可以反映時代社會生活的現象，透過它們的變化，我們可以看到文化的特徵及其變遷。詞書是系統匯編詞語，總結、保存、揚播民族文化的書，它以緊縮的體積薈萃文化。《爾雅》、《方言》和《釋名》成書時間不同，其中所蒐羅的詞語各代表當時所見，將三本書中同類詞彙作一對比，可以看到文化變遷在詞語中的反映。

　　本文共分六章：

　　第一章：緒論。略述語言與文化的關係，論漢字所反映的文化底蘊，及當前相關研究概況、本文研究依據、取材原則與研究方法。

　　第二章：由義類區分看先秦到漢代的文化面貌。從詞書義類區分概念的不同，看文化變遷的面貌。

　　第三章：詞彙運用與先秦到漢代的飲食文化。以三本書中與飲食有關的詞彙為語料，看《爾雅》到漢代晚期的《釋名》，所呈現的飲食風貌，並進而探討促使食品多樣，食物資源運用的狀況。

　　第四章：由詞彙現象看先秦兩漢之服飾文化。本章分成官方禮服與一般日常生活服裝兩方面討論，對服裝的樣式、佩飾與服裝顏色等詞彙變遷，所反映的文化意涵做一討論。

　　第五章：稱謂詞所反映的親屬制度。本章先就漢語稱謂詞的特色做一討論，然後就所蒐羅的稱謂詞為語料，看從《爾雅》到《釋名》所反映的親屬制度。

　　第六章：結論。綜合各章研究，呈現以詞彙為文化史上某些課題做印證所獲致的成果。

目　次

陳芬琪　通訊處：台南市東區東門路 2 段 301 巷 53 弄 49 號
　　　　　電話：06-2369788

M8610 國立成功大學中國文學研究所碩士論文

根據三言二拍一型見證傳統的女性生活

中華民國八十六年
研究生：陳國香
指導教授：王三慶先生

提　要

　　明代後期社會裏盛行著大批以追求市場導向為主的通俗小說讀物，而擬作「話本」的熱絡景象正是順應上這股時代風潮所激揚起來的。但為適應芸芸大眾的廣泛需求，創作者期待能與接受者的觀感相互呼應，是以這些作品的寫實性格便是分外凸出；而根植於群眾心理的寫作步伐，且讓這些作品的內外觸角亦是分外地開闊。於是在剖析個中文意所蘊藏的人文概念時，若學習採用比較宏觀的立場，將作品置納於當時的社會基礎上面做討論，則不但能夠彰顯出作品本身的「真實」生命力，更能夠把文學批評的視野做有效率地延伸，此實是讓學術考察邁向多元層次的重要努力。

　　以往說到明人的話本集子，論者公認的代表作不外就是《三言》和《二拍》了，而當久久佚失於中原的《型世言》重在韓國發跡以後，學界便有了一部與《三言》《二拍》幾乎同時代的話本資材可做參考。誠如這書的發現者陳慶浩先生言，如果是著眼於明末白話短篇小說集的研究工作，就理當把《型世言》與《三言》《二拍》齊等看待，亦即我們應該要去還原並正視那《型世言》本來具存的文學價值，所以本論文的議論焦點便就因此而合理地擴大了。再從中國人的社會架構底下做思考，因是因襲嚴厲的父權體制，其整體價值觀的矛盾面一向就是在性別議題上面最是方便體會的，而自歷史事件代代追溯下來，經驗法則已明確告知了傳統女性群體長時間屈居弱勢的事實（相對於男性群體而言），那麼立意去凸顯女性群體的「邊際化」形象將會是批判相關流弊的好角度。這種持論於根據性別導向做分辨中樞的立場，實是自女權主義的理論精華裏面攫獲來的有效啟發，遂也順勢成就了整篇論文的行動旨趣。

目　次

陳國香　通訊處：新竹市南大路 616 巷 117 弄 24 號 3 樓
　　　　電話：035-241304

M8611 國立成功大學中國文學研究所碩士論文

魏晉反玄思想論

中華民國八十六年
研究生：陳惠玲
指導教授：江建俊先生

提　要

　　歷來研究魏晉思想者，皆以玄學爲其主要內容，但由何晏與王弼所開創之玄學思潮，在政治上主張「無爲」、「任自然」，以改革漢魏以來的弊端，尤其是糾正曹魏名法思想的嚴苛，然而此一「貴無」學說提倡的結果，卻造成「無所作爲」與「縱情肆慾」的頹廢風氣，無益於時代之弊的改革；然而在學術上，則突破漢末章句訓詁的死胡同，藉以會通儒道的注經方式挹注一己思想，致使儒學原貌盡失，義理失真，外加荀粲提出「糠秕」之說，嵇康亦以「蕪穢」之言大貶六經之功用與價值，儒術不振於此可見，無怪乎兩晉貴遊子弟皆不學無術，唯務空談，言不及義。故綜上諸種因素，傅玄、裴頠、歐陽建、王沈、魯褒、王坦之、范寧、孫盛……等，則各自站在政治、學術、經濟、社會四個層面上進行批判與反制之，希望能以儒學爲政綱，重建一有爲的政府。故此派學說，筆者名之曰「反玄思想」。

目　次

陳惠玲　通訊處：台北縣土城市金城路 3 段 52 巷 45 弄 58 號 5F
　　　　電話：02-2702257

M8612 國立成功大學中國文學研究所碩士論文

高文舉故事研究

中華民國八十六年
研究生：廖秋霞
指導教授：王三慶先生、施炳華先生

提　要

　　高文舉的故事形成於南戲後，在各地的聲腔有不同的發展情節。因此想就這一位主角在不同劇種的特色，做一探討與分析。因為這一故事在其他話本、小說並沒有同主角的相同故事，因此論文章節的寫作程序，以劇本搜集先後與完整性做一考慮，並在其內容做了簡單的歷史考證。章節的次序不代表故事形成的先後。論文的第二章，先就搜集劇本中，保留最完整的明傳奇《高文舉珍珠記》做為開始；針對前人討論的高文舉故事的產生地域、聲腔、情節、人物及文辭特色做一分析，其中輔以同一時代的散齣做佐證；另外此一故事在其他劇種，如喝喝腔、北平評劇、河南曲劇、二夾腔、婺劇、莆仙劇、潮劇等，也有散齣上演，論文中也將搜集的曲子做一檢討。第三章則以台灣皮影戲的劇本做為討論。皮影戲的劇本故事承自明傳奇《高文舉珍珠記》一劇，獨立一章實因台灣皮影戲在「南方皮影戲」系統內的重要性，台灣皮影戲傳自大陸潮州，但潮州已不上演皮影戲，反倒在台灣南部落地生根，同時保留了許多珍貴、完整的故事劇本。

　　1992 年成功大學陳憶蘇曾對復興閣的劇本做一分析研究，將故事推究其來源，而本論文則針對高文舉故事，搜集了復興閣、東華、合興三團的劇本做了比較與研究。並因台灣皮影戲傳入的時間與地點，仍莫衷一是，因此筆者對台灣皮影戲做了一番考證與推測，希望日後仍有更確定的史料出現。第四節則從梨園戲入手。大陸對梨園戲做了保存與整理，目前梨園戲的歷史與內容，經劉念茲、吳捷秋等人的研究論著出版後，以「南戲化石」姿態重現世人眼前。筆者經輾轉影印，得到蔡尤本的「口述本」與劇團改編的「教學本」《高文舉》，同時輔以南管曲子的高文舉故事，針對故事內容、人物、文辭加以分析。南管傳唱的歷史由來已久，早在明朝就有曲子的選錄刊本，這對梨園戲與南管的研究，是一大重要研究材料。第五章則選擇資料最不齊全「餘姚腔」的《水雲亭》的劇本故事為研究。《水雲亭》的劇本被發現後，班友書認為這是高文舉故事留在餘姚腔的證據，也就說明高文舉故事在當時各地傳唱的普遍性。另外筆者還發現在明刊散調選本中，有與《水雲亭》相類似的情節發展，題為《還魂記》，因此證明祁彪佳所見的《還魂》一系統並非全然失佚。第六章則以弋陽腔、餘姚腔、泉腔的高文舉故事做比較，並希望透過此一故事的研究，以祈日後了解「家庭婚姻」的主題在當時社會呈現的問題與諸多社會現象。

目　次

廖秋霞　通訊處：台北縣三重市忠孝路 3 段 7 巷 9 號 3 樓
　　　　電話：02-9899665

M8613 國立成功大學中國文學研究所碩士論文

晚唐諷刺詩研究

中華民國八十六年
研究生：劉幸怡
指導教授：廖美玉先生

提　要

　　諷刺詩具有悠久的詩學傳統，在《詩經》刺詩中，先民已利用詩歌本質中特有的抒情性和滲透力，反映現實，冀能改變現實，藉以達到淑世的目的。關懷社會民生的詩歌寫作到唐朝達到一個高峰，人道關懷貫穿整個唐詩的創作。黑暗的政治，動盪的社會，連年的戰爭，使得晚唐呈現一片民不聊生的慘況，激盪著晚唐詩人的心理反應。晚唐李商隱、杜牧、皮日休、陸龜蒙、羅隱、杜荀鶴、聶夷中、韋莊等詩人，寫作了許多針砭時弊，反映現實的諷刺詩。在這些詩作中，詩人表達對農民的深厚同情，尖銳的指陳政治社會的弊端，另一方面，在寫作的形式和技巧上，呈現和前代諷諭詩截然不同的風格，因此得到很好的成就。本文即依此研究方向展開。

目　　次

劉幸怡　通訊處：南投縣中興新村中正路 222 巷 8 號
　　　　電話：049-331736

M8614 國立成功大學中國文學研究所碩士論文

《說文》形聲字構造理論研究

中華民國八十六年
研究生：劉雅芬
指導教授：李添富先生

提　要

　　形聲字在中國文字所佔的重要地是不言可喻的，歷來學者投注在形聲字研究的心力與時間相當可觀，其成果也極為豐碩。有關形聲字的爭議，不論是有關形聲名義的界說，亦或形聲字聲符是否兼義的問題，其實都必須回到根本的問題形聲字的構造歷程來談。由於各家所推測建構的造字歷程有所不同，因而形聲字各部件所擔負的責任也隨著改變；更因為部件所扮演的角色各異，形聲的釋名與定義也有區別。是以，在討論有關形聲字的重大課題時，我們必須窮本溯源的回到形聲字的造字歷程，以之為出發點，重新梳理各家說法，由形聲字的造字歷程看形聲字的結構，由形聲字各部件所擔負的責任論形聲的釋名。

目　次

劉雅芬　通訊處：台北縣三重市三和路三段 170 巷 27 號
　　　　　電話：02-29810010

M8615 國立成功大學中國文學研究所碩士論文

清儒規正杜預《春秋經傳集解》研究

中華民國八十六年

研究生：蕭淑惠
指導教授：宋鼎宗先生

提　要

　　杜預《春秋經傳集解》向來被奉為治《春秋左傳》的圭臬，此書對《春秋左傳》雖然多有獨到的見解，然而全書在考證與闡釋的方法上卻多有疏失，因此從南北朝到元明時期，皆有學者對杜預註解提出駁正，不過這些都未形成有系統的規杜理論，這種風氣到清代卻有不同的氣象。《左傳》在清代雖非研究主流，不過清儒於研究時卻產生不同的聲音，他們將杜預《集解》的地位放下，不再只是一味的遵從，也不像前人只有片斷的批駁聲音，本論文即針對清儒規正、批駁杜預《集解》的論點作歸納分析的研究，藉以呈現清儒規杜的面貌。

目　次

蕭淑惠　　通訊處：彰化縣田中鎮頂潭里坎頂路 92 號
　　　　　　電話：04-8234431

M8616 國立成功大學中國文學研究所碩士論文

曹植詩歌與楚辭關係之研究

中華民國八十六年
研究生：張忠智
指導教授：陳怡良先生

提　要

　　本論文既從外緣關係探究曹植詩歌受《楚辭》影響的因由，亦從作品的內涵進行分析研究。

　　曹植學騷，不但表現在擬爲騷體歌賦，而且學屈宋賦之立意，用以比況自身遭遇；其樂府五言詩中不少作品亦學屈宋賦立意。這更說明他受屈宋的影響是很深刻的。

　　本文所指稱的「楚辭」，就辭彙的學習而言，除屈宋的作品外，尚旁及漢人如賈誼、淮南小山、東方朔、嚴忌、王褒、劉向、王逸等漢人的擬作，但就精神思想的承繼與發揚而言，則不能不以屈原爲唯一的指歸。

目　次

張忠智　通訊處：台南縣新化鎮大德路 82-3 號
　　　　電話：06-5982987

M8701 國立成功大學中國文學研究所碩士論文

由「適性安命」到「達生肆情」

—西、東晉士人應世思想之轉折

中華民國八十七年

研究生：王岫林
指導教授：江建俊先生

提　要

　　魏晉玄學的重心在於儒玄兼融的思想，歷來學者對此也作了許多闡釋，但多以單一思想家作為研究對象，或是探討整個時代的思想取向。但在西晉過度至東晉這個時期士人心態上的轉折與思想的轉變上仍有一些可資探索的空間，故而本篇論文基於此而將時代定在西晉末年至東晉中期，欲由此呈顯出此時期不同的時代風貌，而郭象與張湛是處於西晉末與東晉中期的重要思想家，藉由他們的思想上的異同之比較，可以窺見當時思想與風尚。

目　次

王岫林　通訊處：高雄市苓雅區中正里尚志街 5-4 號 5 樓
　　　　　電話：07-2221759

M8702 國立成功大學中國文學研究所碩士論文

《花間集》女性敘寫研究

中華民國八十七年
研究生：王怡芬
指導教授：王三慶先生、廖美玉先生

提　要

　　「女性敘寫」一詞，引自葉嘉瑩先生〈論詞學中之困惑與《花間》詞女性敘寫及其影響〉一文，其中所謂的「女性敘寫」，乃指所有與女性相關的描寫，包括女性形象以及女性的情感等等。

　　本論文借其「女性敘寫」一詞，範圍則加以擴大，兼及《花間集》中所有與女性相關之作品，討論的內容不僅僅為女性自身內在與外在的呈現，還包括了與女性相關的事物，如外在環境等。其中有女性的外在形貌，如女性的身體部位、衣著，以及妝飾；有女性的心緒和情感；還有女性所處的外在環境，包括季節、動植物，以及女性居住環境、日常相關器物等。

　　女性外在形貌、所處環境、和女性心緒，為構成女性敘寫之三大要素，透過這三個方向著手，期能對於《花間集》之女性敘寫，做通盤的分析以及更進一步的研究。

目　次

王怡芬　通訊處：台北縣新店市檳榔路 76 號 4F
　　　　電話：02-9131654

M8703 國立成功大學中國文學研究所碩士論文

望夫石傳說研究

中華民國八十七年
研究生：石麗貞
指導教授：王三慶先生

提　要

　　本論文共分五章，第一章〈緒論〉敍及本論文的研究動機、方法及範圍，本論文的研究範圍是以歷代方志中所錄的望夫石，以及近人的田野調查所得的傳說記錄爲主，透過主題學的研究方式，了解傳說的內容與義。

　　第二章〈望夫石傳說的流布與變異〉分成方志的記錄，與田野調查的望夫石傳說兩部份，分別探討其內容的差異，與傳說所呈現的特色。

　　第三章〈望夫化石型傳說產生之背景及心理因素〉則以傳說形成的主要成份：化石情節、變形情節、愛情成份及風物傳說等四部份，探討此類傳說之所以會同以女子化石方式來呈現的心理因素及時空背景，並了解其與其他神話故事及傳說之間的關聯。

　　第四章〈望夫石傳說的影響與交涉〉一章分三部份探討：一是探討學作品中的望夫石主事題與傳說的異同，以了解望夫石詩受傳說影響的情形；二是探討孟姜女故事中與望夫石傳說產生關聯的情形，以了解兩則傳說彼此交涉的情形；三是介紹其他相似的情化類傳說，從幾則類似的傳說中試探此一類型傳說同源的心理因素。

　　第五章〈結論〉則總結望夫石傳說所呈現的特色，與此一傳說與傳統文化的關聯，並探討各種形式的望夫石傳說主題的異同。

目　次

石麗貞　通訊處：南投縣草屯鎮平林里平學路平忠巷 21 號
　　　　　電話：049-572469

M8704 國立成功大學中國文學研究所碩士論文

楊逵戲劇作品研究

中華民國八十七年
研究生：林安英
指導教授：馬森先生、石光生先生

提　要

　　楊逵一生堅持以頑劣的抵抗精神注入對重建台灣的期待：其實踐性的左翼運動之舉、引領著 1930 年代農民運動；踏入文壇後，以強烈批判思想執行小說創作；獨立辦雜誌的熱切念頭、為台灣新文學樹立自由的言論風潮；而十多篇的戲劇作品、更呈現楊逵希望思想文化能普及民眾的企圖。在閱讀楊逵的一生時，我們看到他以身體力行的實踐方式，在社會運動與文學創作上孜孜矻矻地不斷努力著。這是他最根本的人生態度，也是他創作主題蘊含最濃的味道。

目　次

林安英　通訊處：台中縣豐原市中正路 281 巷 26 號
　　　　　電話：04-5221262

M8705 國立成功大學中國文學研究所碩士論文

清代臺灣學校教育與儒學教化研究

中華民國八十七年
研究生：林孟輝
指導教授：宋鼎宗先生、林朝成先生

提　要

　　臺灣學校教育的發展，除有官方的建設、鼓勵外，亦不可忽略百姓的需求與地方大族、富商、士紳等社會領導階層的支持、贊助，地方鄉紳請建文廟，爭取學額等行動，即代表民間對教育的需求。教育何以受到民間的重視，在觀念上可歸因於漢人具有重道崇文的文化意識，在現實因素方面，主要是因為教育以及科舉制度，提供一個人及家族提升社經地位的管道，並且教育具有陶冶品德的功能，家長送子弟就學，莫不期望子弟能讀書明理、孝悌勤儉。就教育宗旨而言，「儒學」教育的宗旨主要為「崇聖立範」、「興賢育才」、「化民成俗」三項。書院教育具有輔助官學不足的目的，書院在宋代已發展成為頗具規模的私人講學場所，元、明兩代亦延續發展，書院教育的特點在於講學自由，自成一格而有別於以科舉為導向的官學，其教育內涵則是與儒學相關的明人倫、辨義利、收放心、通經史、游六藝等。清代書院雖然轉為考課為主，但仍承襲、保留了儒學的教育內涵，如臺灣書院的學規亦標舉明人倫、辨義利、尊師友、通經史、讀理書等項目。初級學校教育，是為普及教育而設，官方期望透過教育，化導頑梗，尤其對於臺灣原住民的教育，教育的宗旨大抵還是「移風易俗」、「化民成俗」的觀念。就教育活動、內容而言，「儒學」的教育活動，主要有考課、講習、學禮祭祀、宣講聖諭以及歲、科試。書院的教育活動與「儒學」的活動頗為近似，亦有考課、講習、祭祀，唯較簡單。初級學校的教育活動，更為簡略，主要是教學、背誦、習字，官立的學校還有宣講聖諭的活動。在教育的活動中，師生齊聚一堂，除了典籍知識的學習外，在學校教育環境的潛移默化中，亦有助人品心性的陶冶。

目　次

林孟輝　通訊處：彰化縣伸港鄉新港村新港路 177 號
　　　　電話：04-7982110

M8706 國立成功大學中國文學研究所碩士論文

禪宗與宋代詩學理論

中華民國八十七年
研究生：林湘華
指導教授：張高評先生

提　要

　　禪宗與宋代詩學理論的「關係」，本質上是宋代詩人對詩歌美學的認識，而禪宗在其中扮演了方法學意義上的詮釋和認知的進路。也就是：詩人站在詩學立場上，藉助禪學的語言，闡釋並探索不同於以往的詩歌美學的認識。因此，本文的目的，就在詮釋：禪宗的思考架構和理論內容，在詩歌理論中，發生了什麼樣的作用。這個「關係」，環繞著以「味外之味」的極致價值爲中心，呈現出宋代詩論在創作論、風格論、方法論等各個面向上的特殊觀念。兩種學術交會的關係，必須在整體的意義下，才能獲得確定和解釋。本文即是經由詩學和禪學本身整體特徵的「呈現」，凸顯兩者內在相應的特質，從事對這些觀念的詮釋，並發抉其中隱含的詩歌美學的價值和意義。

目　次

林湘華　通訊處：台南縣永康市復華里國華街 98 巷 14 號
　　　　電話：06-2339150

M8707 國立成功大學中國文學研究所碩士論文

林亨泰新詩研究

中華民國八十七年
研究生：柯契伶
指導教授：陳昌明先生

提　要

　　本論文以林亨泰為研究對象，乃因筆者認為：林亨泰在詩壇上佔有重要的地位，堪稱為台灣詩運發展的見證人，然而他卻沒有得到應有的尊重，在詩壇上紀弦發動現代派的功蹟是人人皆知的，但林亨泰在現代派理論的建構之功，卻鮮少被提及，而且評論林亨泰詩作的單篇論文，無法客觀的呈現林亨泰在台灣文學史上的地位，因此筆者期能全盤檢視林亨泰之創作背景、詩論主張、詩作的階段性特色、主題思想及其藝術技巧，以探究其在台灣詩壇的地位與貢獻。而且本論文的撰寫，一方面除了探究林亨泰先生作品全貌，一方面也能省視臺灣文學之發展脈絡。因為在臺灣詩史的發展歷程中，林亨泰以其前衛的詩論與實驗性的創作，帶領著詩人們去思索現代詩創作的方向與發展，對當時的詩壇而言，是相當具啟發性的。

目　次

柯旻伶　通訊處：彰化市永興街 19 號
　　　　　電話：04-7226651

M8708 國立成功大學中國文學研究所碩士論文

潘岳、陸機辭賦之比較研究

中華民國八十七年
研究生：殷念慈
指導教授：廖國棟先生

提　要

　　潘岳、陸機為西晉文壇之巨擘，二人不僅在詩文方面取得特殊成就，更於辭賦創作締造佳績，無論辭賦內涵或藝術形式，都有所突破，除了表現西晉賦作之典型風貌，且於題材的揀擇、主題的開展、賦體的結構、特質等，具有承繼、開拓之意義。近年來魏晉南北朝辭賦之研究，已獲得許多新的成果，唯對潘岳、陸機這兩位賦壇奇葩，尚有可供探索的空間，故有進一步研究的價值。

　　本文透過辭賦題材、主題之分析，探討潘、陸賦作之意蘊，再經由組織結構、修辭技巧之討論，觀其藝術形式。不同命題之下，均藉由比較以映顯個別特色，並間接捕捉西晉辭賦之概貌。論文即依此研究方向展開。

目　次

殷念慈　通訊處：台中市西屯區西安街 131 號 2 樓之 1
　　　　　電話：04-2594638

M8709 國立成功大學中國文學研究所碩士論文

魏晉南北朝書論之研究

中華民國八十七年
研究生：莊千慧
指導教授：陳昌明先生

提　要

　　魏晉南北朝爲書法藝術發展之高峰，此時書法名家、名作倍出，在此情況下，發端於兩漢的書學論著也有了更進一步的擴展與深化。在玄學、文論、畫論等思潮的激盪、浸乳之下，使書論的內容呈現了更豐富的面貌。雖然，目前能見到魏晉南北朝的書跡除了碑刻拓本之外，尚有法帖、簡牘與寫經等墨跡，但現存書論所論及的書家作品則多集中於南朝，內容也以二王與南朝書家的討論爲主。然而，這些書家之真跡有如鳳毛麟角，大多數的作品是以木版、石刻拓本，或後人之勾摹本傳世，以唐《萬歲通天帖》、北宋《淳化閣帖》、南宋《澄清堂帖》所摹刻者，其中不乏託僞或以臨寫當作勾摹之作，於是，這些書論便很難尋找到真正可以對應的作品。雖然書論是書法之「副產品」，從邏輯來看，必先有書法作品才有書論的產生，就書法研究而言，書論並非主角，它只是印證書法作品之陪襯。然而本文卻以「書論」爲研究主體，書法作品退居於佐證之用，這種主客地位的安排本是不合乎邏輯的，但是以本文所擇定的魏晉南北朝而言是可以成立的。書法作品是一種事實的呈現，有實際的作品方可進行論述，而書論除了書法作品的研究之外，從中也可以發現許多美學觀念的辨證，使書法研究不祇限於作品真僞之考證，因此，與其將這些書論視爲實踐之心得報告，不如視之爲一種美學觀念的闡發，故本文之研究重點便放在美學的層面進行討論。

目　次

莊千慧　通訊處：台南縣西港鄉慶安村進學街 52 號
　　　　電話：06-7952102

M8710 國立成功大學中國文學研究所碩士論文

唐代小說中他界女性形象之虛構意義研究

中華民國八十七年
研究生：陳玉萍
指導教授：廖美玉先生

提　要

　　本文的取材以《全唐小說》爲基礎，揀選其中涉及他界女性角色的篇章，尤其是對他界女性形象描繪完整而深刻的小說作品，進而分析、比較、詮釋唐代小說中他界女性形象的虛構意義。小說的重要特質之一便是虛構，在唐代作者的虛構意識自覺後，由此再進一步研析作者創作背後的心理意識，更能突顯其意義。本文寫作所關注的有兩個部份：一是在閱讀小說文本後，分析探究唐代他界女性形象之建構意義；另一則是以現代的視野詮釋唐代他界女性形象的多重意義。前者可從歷史脈絡的發展，逐步探知唐代小說裡他界女性故事的特質與內涵；後者則期望從現代的閱讀角度，一方面推知唐代男性作者對女性觀點及愛惡心理，另一方面也希望賦予古典文本新視野。因此，有別於以往學者從唐代小說裡探尋唐代女性形象的作法，本論文更期望藉由男性論述下的唐代小說文本，探究男性觀點下的女性形象，並從中理解唐代男性投射在他界女性角色上的種種愛欲恐懼等心理運作。

目　　次

陳玉萍　通訊處：宜蘭縣蘇澳鎮南興里華山路 113 號
　　　　　電話：039-969628

M8711 國立成功大學中國文學研究所碩士論文

南管音樂文化研究—由歷史向度、社會功能與美學體系談起

中華民國八十七年
研究生：陳衍吟
指導教授：王三慶先生、施炳華先生

提　要

　　作為台灣當前藝術文化的一環，南管音樂文化一方面承繼了中國傳統音樂思想，另一方面也因應台灣特殊的時空背景，而有地域性民眾音樂的特質。本文即以南管音樂為核心，論述其相關文化，包括生態環境及人文活動等。本論文所謂南管音樂文化包括：音樂內容、演出形制、樂器配置、館社組織、活動型態、南管的社會面向、南管的美學意象等。希望透過各個分項的歸納分析、整合研究，可以建構臺灣南管音樂文化史的雛形，如是，經由當前臺灣南管音樂文化的分析研究，與前人紀錄及學術成果相對勘，則南管音樂可變的表層結構及不易撼動的深層結構，當能昭然若揭，井然可辨。這對於消融新舊館社間的歧見，開創「文化生命共同體」的認知，應當能有所貢獻。如此一來，南管音樂的豐富內涵，必能對臺灣整體音樂文化生態環境有所助益，尤有甚者，南管音樂文化的美學意涵，與傳統樂教思想有諸多匯通之處，如能加以爬梳析論，一方面能提供傳統音樂美學一個鮮活的例證，另方面對於建構中的中國美學體系來說，不啻是一大基趾。

　　論文架構如下：第壹章緒論，第貳章南管音樂文化研究，由南管音樂的演奏型制、曲詞文獻，考察其貫時性發展；其次由共時性考察南管與其他戲曲、音樂等姐妹藝術之關聯，如梨園戲、高甲戲、布袋戲、傀儡戲及太平歌、車鼓等。第參章，南管音樂的社會功能，分別就南管與個人、南管與族群及南管與社區三方面，索求南管對於個人、社群及社區所提供之社會功能。第肆章，論述南管音樂美學體系，第伍章結論。

目　次

陳衍吟　通訊處：台北縣五股鄉凌雲路一段 158 巷 57 弄 16 號
　　　　電話：02-2914406

M8712 國立成功大學中國文學研究所碩士論文

建安辭賦主題意識研究

中華民國八十七年
研究生：陳燕婷
指導教授：廖國棟先生

提　要

　　漢末魏初是一個動盪與自由，崩潰與重建的時期。在這一個交替年代裡，充滿不安的靈魂與其跳躍的情思，遭逢巨變的士子，於辭賦裡寄託著豐富的情思。本文以主題意視為架構，由作品中得出憂患意識，時間意識，孤憤意識來討論。

目　次

陳燕婷　通訊處：高雄縣林園鄉東林西路 82 號
　　　　電話：07-6412656

M8713 國立成功大學中國文學研究所碩士論文

《左傳》敘戰的資鑑精神研究

中華民國八十七年
研究生：陽平南
指導教授：張高評先生

提　要

　　《左傳》是我國第一部成熟史作，史官纂修《左傳》時，春秋列國之官方檔案是其參考採搜的重要內容，面對汗牛充棟的史料，史官要做整理篩選，其取捨之間，便可呈顯其特殊的歷史關懷；中國史家修史，著重歷史的資鑑教訓，目的是希望後世讀史者，能從中累積前人善惡是非的經驗教訓；考察中國史書，《左傳》首先明確地提出「懲惡而勸善」的修史主張，可謂史書資鑑精神的初倡，這種精神，始終一貫地被纂修《左傳》的史官們維護著，載記春秋二百五十五年歷史的《左傳》，其內容廣及政治、軍事、外交等活動，反映了廣泛的春秋社會生活，其中尤其以戰爭的敘述比重最大，因戰爭乃「國之大事」，小則危及個人死生，大則影響一國存亡，考察《左傳》敘述春秋時代大小戰役，多達五百餘場，佔了全書內容的百分之四十，作者對戰爭寄予特別關懷不言可喻。自有人類以來，戰爭就從未止息，時移世變，二千餘年前的春秋戰爭，縱使其型態和後世已有天壤之別，然而許多戰爭的原理原則，春秋以後乃至今日仍為世用，且能拓展至戰爭以外的其他領域，原因無他，左氏敘戰，善於歸納歷史變化的規律，並一秉資鑑精神修史，以寄託其褒貶勸懲故也，因此後人得效其善者思與之齊，見其惡者引以為戒。今擇左氏敘戰加以探究，以其最可凸顯其所寄寓的「資鑑精神」。

目　次

陽平南　通訊處：台南市大同路二段 330 巷 109 弄 46 號
　　　　電話：06-2898246

M8714 國立成功大學中國文學研究所碩士論文

文殊師利菩薩本願研究

中華民國八十七年
研究生：黃靖芠
指導教授：林朝成先生

提　要

　　文殊師利菩薩是大乘初期著名的菩薩，佛教界以「大智」表彰其特德，且文殊本願在學術界的重要性是僅次於釋尊、彌勒、阿　、彌陀本願的，但前賢論述未詳備，故本論文以文殊本願為主軸，且以「文殊師利」法門的經典為範圍，主要在細評文殊的自利方面的自行願及利他方面的成熟眾生、莊嚴國土願；其次，也以經部的分類為架構，來重新整理文殊的本生，並試圖對文殊在各經部的風貌作一探討；又在進入文殊本願前，也對文殊的發菩提心義作一探討，並說明本願在體用上的意義；末尾再對文殊在中國的信仰及其影響作一番說明。

目　次

黃靖芟　通訊處：高雄市苓雅區武昌路218號
　　　　電話：07-7210133

M8715 國立成功大學中國文學研究所碩士論文

高友工對中國傳統美學的現代詮釋

中華民國八十七年
研究生：臧蒂雯
指導教授：林朝成先生

提　要

　　高友工先生對中國美學傳統的建構，乃自文化觀察的角度，提出中國美學的特色在於「抒情言志傳統」。我們對高先生的理解則主要集中於「抒情美典」，尤其是「律詩美典」。

　　第一章〈緒論〉，解釋論文題目與章節安排。

　　第二章〈高友工與文學美學研究〉，回顧四十年來美學與文學批評在台灣的發展概況，以及近代中國美學的轉化問題，由此對照高友工先生自七〇年代初起持續對文學研究之理論與方法的探索，說明高先生美學研究之特色與旨歸，在於援用西方分析傳統的語言和方法，勾畫出中國傳統美學的範疇與價值。

　　第三章〈高友工論文學美學的認識經驗〉，旨在說明美學研究與文學研究的認識論問題，亦即研究對象與研究方法的適用性問題。以高先生所謂「經驗之知」與「分析之知」，來解釋「認識經驗」層次的不同，並藉由現象學對意識活動的描述，分析高先生「美感經驗」的定義與結構。

　　第四章〈高友工對中國抒情傳統的建構〉，企圖自「體類研究」突顯高先生對「抒情美典」的闡釋，高先生以律體詩為抒情美典的核心，自形式意義說明律詩的美學目與價值。同時舉唐初唐四杰、王維與杜甫分別代表三種不同的抒情美典與抒情境界。「美典」一詞的運用在高先生的語脈中往往具有豐富的意含。

　　第五章〈結論〉，整理歸納高先生美學研究的成果。

目　　次

臧蒂雯　通訊處：新竹市河北街17巷25號
　　　　　電話：03-5267110

M8716 國立成功大學中國文學研究所碩士論文

錢鍾書神韻觀之研究

中華民國八十七年
研究生：鄭如秀
指導教授：林朝成先生

提　要

　　錢鍾書先生神韻觀的形成，由文藝批評史上看來，是從詩論中「擇總別集有名家箋釋者討索之，……欲從而體察屬詞比事之慘澹經營，資吾操觚自運之助。漸悟宗派判分，體裁別異，甚且言語懸殊，對疆阻隔，而詩眼文心，往往莫逆冥契。」（《談藝錄》頁 346）當中「詩眼文心，莫逆冥契」則是先生一貫的主張，於其《談藝錄》與《管錐編》等書中，吾人知其衡情徵「文」（泛指一切文藝、文類），卻有「莫逆冥契」之核心，因此提挈出先生神韻觀，以為說解與鎔鑄其美學和詩學主張之初步。先生的神韻觀，關涉其美學和詩學之思想，筆者欲從「相反相成與解釋循環」與「天人合一與人化文評」，作為詮釋錢先生神韻觀之策略，分敘其「神韻觀之形成」、「神韻觀與詩畫關係」和「神韻觀與悟入」三章，由致力於集中錢先生之殊見，裨使「人化」與「生動」，「悟入與詩禪」，得將神韻顯題而出。本論文即從上述的意圖中，嘗試將先生的治學用心與研究成果，鋪敘出來，以彰顯其觀念之精蘊與殊勝之處，而未敢謂之批評。

目　次

鄭如秀　通訊處：台南縣仁德鄉上崙村 118 號
　　　　電話：06-2792693

M8717 國立成功大學中國文學研究所碩士論文

東晉辭賦主題研究

中華民國八十七年
研究生：鄭雅文
指導教授：廖國棟先生

提　要

　　晉朝在結束了一段戰亂逃亡的歲月，避居江南建立東晉，整個文學發展亦跟著南移。然而，由於許多表現優異的賦家均在戰禍中喪生，且東晉玄風大盛，劉勰《文心雕龍・時序》便云：「自中朝貴玄，江左稱盛，因談餘氣，流成文體。」因此，咸認爲東晉無可觀之賦作，研究者逐少。故本論文所要探討的便是在這長達百年，擁有七十幾位賦家，一百九十六篇辭賦，所呈現的特色與創作風格，以釐清世人對東晉辭賦的疑惑。

目　　次

鄭雅文　通訊處：台南市東門路 232 號
　　　　　　電話：06-2685357

M8801 國立成功大學中國文學研究所碩士論文

六朝物色觀念研究

中華民國八十八年
研究生：林莉翎
指導教授：陳昌明先生

提　要

　　自然物色的運用，在《詩經》《楚辭》裡，早已有之。然而，其時的自然物色，在文學作品中，尙屬於象徵陪襯的地位。至漢代賦篇，詠物的作品增加，故有所謂的詠物賦產生，逐漸提高自然物色在作品中的地位與重要性。

　　六朝時期，山水物色的運用臻至高峰，此種現象，可由文學流變與時代背景探討之；山水物色的運用，或可藉以舒散懷抱，或可以之爲隱逸與遊樂之所，時間與四季的物色描繪亦說明物色的重要性。陸機〈文賦〉云：「遵四時以嘆逝，瞻萬物而思紛。悲落葉於勁秋，喜柔條於芳春。」；劉勰〈文心雕龍・物色篇〉云：「若乃山林皋壤，實文思之奧府，略語則闕，詳說則繁。然屈平所以能洞監《風》、《騷》之情者，亦抑江山之助乎！」以及〈明詩篇〉云：「人稟七情，應物斯感；感物吟志，莫非自然。」；鍾嶸〈詩品序〉則云：「氣之動物，物之感人，故搖蕩性情，形諸舞詠。」、「若乃春風春鳥，秋月秋蟬，夏雲暑雨，多月祁寒，斯四候之感諸詩者也。」，此三大文論的物色觀念，著重於自然景物能夠感發人的情感，人的情感亦能回應所描繪之景物。故三大文論的探討重點爲情與物色之關聯。落實到文學創作中，物色觀念對於文學創作的影響，則是如何使物象與情意能夠結合，使物色的運用更形細膩，此與藝術技巧的日益精進有關，最終達至神與物遊的境界。

　　本文採取縱向與橫向的方式探討。從歷史脈絡談「物色」在文學作品中的運用，以及探討物色觀念對於文學創作理論的影響。故正文標題分別爲「先秦兩漢物色觀念概述」、「六朝物色觀念與山水文學」、「六朝三大文論中物色觀念之呈現」以及「物色觀念對文學創作理論的影響」。

目　次

林莉翎　通訊處：屏東縣潮洲鎮明德路 12 號
　　　　　電話：08-7886287

M8802 國立成功大學中國文學研究所碩士論文

王安石與北宋孟子學

中華民國八十八年
研究生：施輝煌
指導教授：宋鼎宗先生

提　要

　　孟子思想到了宋代受到前所未有的重視，一般以為係理學家提倡所致，然王安石變法，卻以《孟子》為其政改的藍圖。究其因，孟子思想與宋代特殊的政治形勢、佛老思想的挑戰、知識份子人格的樹立等都有關聯。其王霸、三代堯舜、格君心之非、性善、義利等論題，在宋代都曾引起爭議和討論。

　　由於司馬光與王安石的對立，出現了非疑孟子的思想，頗值得注意。經過理學家和其他學者的反覆辯明，《孟子》的思想價值逐漸受到肯定。王安石本身喜孟子、好談辯，他和門人都曾對孟子加以註解。從唐代以來「周孔」並稱，到宋代之後「孔孟」並舉，列於道統譜系、《孟子》列於宋代的科舉考試、配享孔廟、甚而到了元代被封為「亞聖」，這一系列的現象來看，《孟子》從漢唐以來被視為「諸子」，到了宋代被視為「經」，甚而地位高於六經，王安石的作用應具有舉足輕重的貢獻。

　　本文先後論述王安石與宋代孟子學的振興、其思想與孟子的關係、疑孟思想的內容、孟子升格運動，包括升格為經、配享孔廟、列為科考等議題，而以王安石為主軸，討論王安石與他們之間的關係。

目　次

施輝煌　　通訊處：高雄縣湖內鄉中山路 1 段 301 巷 52 弄 8 號 7F 之 2
　　　　　電話：07-6936103

M8803 國立成功大學中國文學研究所碩士論文

嚴歌苓小說主題研究

中華民國八十八年
研究生：徐文娟
指導教授：陳昌明先生

提　要

　　嚴歌苓雖不是台灣土生土長的小說家，但是她自一九九○年開始在台灣發表作品，並囊括台灣各大報小說獎，包括：〈少女小漁〉獲第三屆中央日報文學獎小說類第二名；〈女房東〉獲第五屆中央日報文學獎小說類第一名；〈海那邊〉獲八十三年度聯合報文學獎短篇小說第一名；〈紅羅裙〉獲八十三年度中國時報文學獎小說類評審獎；〈天浴〉獲八十四年度全國學生文學獎；《扶桑》獲第十七屆聯合報文學獎長篇小說評審獎；《人寰》獲第二屆中國時報百萬小說獎。所以，在台灣現代小說的發展脈絡上，嚴歌苓無疑已佔有一席之地；但是，國內對她的作品的單篇評論實在少之又少，至於學位論文更是付之缺如，使讀者無法對其小說特色做一全面性的了解，這是筆者對其小說研究產生高度興趣的次要原因。

　　再者，眾所周知的，嚴歌苓好以兩性關係主導故事的情節發展，並透過男、女之間的情感互動，以探索人性、捉摸人性。特別是處在大時代命運下的烽火兒女，更是她小說中經常出現的靈魂人物。並且在嚴歌苓對移民小說大力關注的同時，她創作的其他作品，如描寫草原民族的〈天浴〉、《雌性的草地》、〈倒淌河〉，〈蹉跎姻緣〉以及描寫文化大革命的《人寰》等篇，其中遷移的時空背景、人在另一個環境所遭受的衝突等等，似乎都和移民的、文化的議題密切相關；而在某個程度上，嚴歌苓念茲在茲的移民議題、歷史文化的觀察思考，也和她本身的生命經驗重疊；於是，小說和作者形成強烈的連結，對其作品的瞭解，是有幫助的。

　　到目前為止，嚴歌苓的小說即使是短篇如〈搶劫犯查理和我〉，講一個女人迷惑於一名慣竊少年的優美情調；甚至是長篇如《扶桑》談美國少年與中國妓女的愛情，嚴歌苓似乎從不放棄以男女之間的小情小愛「微觀」一群人的、一個大時代的、一個國族的歷史命運。於是，愛情一直是嚴歌苓小說裡的進行式，而小說人物腳下則不斷踩著移民的、東西文化衝突的、生命苦難的腥紅地毯前進。

　　為何「情慾」已儼然成為嚴歌苓小說作品中的大宗市場？以兩性情愛牽引出小至個人、大至國族的生存問題，究竟哪一樁才是嚴歌苓要強調的重點？又是否會出現非預期的、糾葛的情愫掩蓋原本欲彰顯的小說主題的爭議？這才是筆者對嚴歌苓小說滋生研究企圖的首要因素。

　　因此，針對嚴歌苓小說中反覆出現的幾個主題，筆者將從小說文本的直接分析；以及嚴歌苓移民小說在小說史上的定位問題，釐清嚴歌苓在情慾書寫的外衣下，極力伸張的小說正義。

目　次

徐文娟　通訊處：高雄縣鳳山市慈暉新村5巷29號3樓之2
　　　　電話：07-7034870

M8804 國立成功大學中國文學研究所碩士論文

王船山詩學理論新探

中華民國八十八年
研究生：翁慧宏
指導教授：林朝成先生

提　要

　　本文旨在說明、反省、檢討船山詩學理論「美與善、形上學、研究對象、詩論上」此四則基礎問題與《薑齋詩話》之間的關係。並為之尋求一解說方式，以求能一一釐清各項問題。是以研究方式為：

　　1：以船山《薑齋詩話》為主要研究對象，以求適切了解船山詩論。

　　2：提出船山詩論的兩個基本架構：

　　　　A．〈詩譯〉進路的詩論架構。

　　　　B．〈夕堂永日緒論〉進路的詩論架構。

　　3：處理船山詩學理論中兩個架構之間的關係，並將之與船山其它詩學著作對照，最後再與船山思想對照，說明船山詩學理論的一致性：

　　　　A．與歷代詩歌評選對照。

　　　　B．與《詩廣傳》對照。

　　　　C．與船山思想對照。

此三者由基礎建構，依序解決諸研究進路呈現的問題：

　　1.《薑齋詩話》的性質解決了「研究對象問題」：船山詩論的建構應以何種著作為主？

　　2.〈詩譯〉、〈夕堂永日緒論〉的析論解決了「詩論上通問題」：船山詩論是否是船山思想的附庸？

　　3.與評選之作及《詩廣傳》之對照解決了「美與善的問題」：船山詩論是否要依附於詩教系統？

　　4.與船山思想對照解決了「形上學的問題」：船山詩論的形上架構是否是一個以善為主的系統？

　　5.最後對船山詩論做一綜合說明，給予一個定位。

目　次

翁慧宏　　通訊處：嘉義縣太保市前潭里 5-1 號

　　　　　　電話：05-3711608

M8805 國立成功大學中國文學研究所碩士論文

岳飛故事研究

中華民國八十八年
研究生：張清發
指導教授：王三慶先生

提　要

　　過去以「岳飛」爲對象的研究，可以分成歷史、戲曲、小說、詩文和故事等多種類型。雖然「岳飛研究」的成果繁盛，但仍有其不足之處。特別是文學類型的研究，由於未能先就「岳飛」這一研究對象的特質加以分析，再進而依此選擇合適的研究方法，故其研究成果，常無法和類型小說、類型人物產生有效區隔。以「岳飛」的材料屬性和發展狀況而言，「故事研究」應是最周全的研究方法，因爲能夠在學科整合下，廣蒐材料彼此驗證；並且善用方法、觀點以爲解剖利器，明確故事演變過程中，變與不變之間的深層意涵。雖然前人已有《岳飛故事研究》之論題，但在研究的材料範圍和方法操作上，既有前述「岳飛研究」的缺失；又未能符合「故事研究」之要求，故整體而言仍有值得再修正、進展和提昇之處。

　　本《岳飛故事研究》依研究對象之特質，以「主題學」、「接受美學」的方法爲主，配合市場經濟、史傳精神、庶民文化等觀點進行考察。

目　次

張清發　　通訊處：高雄縣路竹鄉大社路 587 巷 15 號之 1
　　　　　電話：07-6951015、6971273

M8806 國立成功大學中國文學研究所碩士論文

羅祖《五部六冊》與佛教禪學

中華民國八十八年

研究生：張嘉慧
指導教授：林朝成先生

提 要

　　《五部六冊》是明朝嘉靖時興起的一個新興教派－羅教所奉持的經典。由教主羅清所撰寫。本論文主旨在探討《五部六冊》與佛教禪學之間的關係，分別從幾個方面來考察：一是從背景的觀察來發掘其興起的因由，二是嘗試從教民的書寫方式，即是從一個宗教心理史學的建構，看出羅教在教主的塑造及法脈的流傳上，如何從慧能的原型演義成新一代的教主。在演義過程中怎樣向禪宗靠近。再者乃以影響羅祖禪學思想的主要經典—《壇經》與《金剛科儀》二書去掘發羅祖對該書的汲取及轉化。最後是針對《五部六冊》這一經典的教理教義之分析，來探究羅祖的教義思想如何以禪學為中心，並摻雜儒、釋、道三家融合成一獨特的思想，也就是從經典的模寫來見出其傳承禪學與自我創發之處。可以說，本論文試圖藉著這樣的研究，尋繹出禪學在民間流傳的另一面貌，以及民間宗教與佛教禪學的互動情形。

目 次

張嘉慧　通訊處：高雄縣旗山鎮糖廠里信義街9號
　　　　　　電話：07-6612981

M8807 國立成功大學中國文學研究所碩士論文

《說文解字》形聲考辨

中華民國八十八年
研究生：莊舒卉
指導教授：謝一民先生

提　要

　　自從東漢許慎撰作《說文解字》以後，幸得宋時有徐鉉校訂《說文》、徐鍇著《繫傳》，及清時段玉裁注《說文解字》，分別進行校對、勘訂、表彰的工夫，實在是爲許氏功臣；也因此，而以最古老的大小二徐本，和最通行的段注本組合，便就造成了企圖恢復許慎《說文解字》一書原貌的最佳文本。

　　至於本文所使用的三家文本，在大徐本方面，則是以臺灣中華書局根據大興朱氏依宋重刻景印的大徐說文本；在小徐本方面，則是以臺灣中華書局根據小學彙函本校刊的小徐說文本；在段注本方面，則是以經韻樓本的版本，包括有黎明文化事業股份有限公司發行的《說文解字注》，和洪葉文化事業有限公司出版的《新添古音說文解字注》。於是，面對影響中國文字深遠的形聲造字法，而且數量龐多的形聲文字，也就擬定藉由上述三家的文本爲主，並依許慎認可的小篆字形結構爲研究原則，以達成考辨及統計《說文解字》中形聲字部分的工作。

　　所謂「形聲」，乃是指將聲音符號形附義類符號之旁的一類文字；而該聲音符號除了可以作爲譬況該字的語音之外，還具有表達該字意義的功能。段玉裁以「聲義同源說」爲肇因，進而創發出「凡同聲多同義」、「凡字之義必得諸字之聲」、「凡從某聲多有某義」等一連串道理，最後歸結到「形聲多兼會意」的結論上；至於這些理論，則在在顯示於《說文解字注》中。另外，透過黃侃先生成立的「凡形聲字之正例，必兼會意」條例，以及謝師一民所修訂的「凡形聲字之正例，聲必兼義」條例，於是，便也就總歸得到「凡形聲字，聲符多兼義」的理論。

　　既然，聲子必從聲母之音及聲符兼義二點，均是爲構成形聲字的條件，因此，便以這兩點作爲進行考辨形聲文字的依據。考辨方式：首先以《廣韻》求古音，再以《說文解字》求字義；至於，若是涉及收錄的文字有所出入，則便證以較古老、早先的古書古籍中的文字爲收。在三家文本中釋形相同的形聲字部分，採廣義方式統計，共有七千四百四十二個字，另外，還需再扣除重複收入的堀篆一字；大、小徐本釋形相同，而與段注本釋形相異的形聲字部分，共有一百六十九個形聲字；大徐、段注本釋形相同，而與小徐本釋形相異的形聲字部分，共有二百二十三個形聲字；小徐、段注本釋形相同，而與大徐本釋形相異的形聲字部分，共有一百六十八個形聲字；三家文本中釋形相異的形聲字部分，共有六十個形聲字；其他釋形的形聲字部分，共有三個形聲字。所以，總歸而言，許慎《說文解字》原書中，乃應該是存有共八千零六十四個形聲字。

　　再者，由於《說文解字》主要乃是以小篆文字作爲收錄，因此，便應當是著

重在小篆文字形體所收的結構本質上；也就是說，應該是以《說文》來談論《說文》。另外，則才輔以甲骨、金文的資料，進行錯解文字在字原上的追溯爲註，以期達成文字學的完美研究。

目　次

莊舒卉　通訊處：雲林縣虎尾鎮興中里 36 號
　　　　電話：05-6331960

M8808 國立成功大學中國文學研究所碩士論文

《諧鐸》研究

中華民國八十八年
研究生：陳秀香
指導教授：王三慶先生

提　要

　　《諧鐸》是繼清代中葉，又一部模仿聊齋之作的文言短篇小說。此書作者由於沈鬱社會下層，對人情世態看得真切，且又富於正義感，因而書中對於官場黑暗、科舉弊端、富者不仁、世風澆薄等各方面，均有所揭露批判，或給予辛辣的嘲諷。又本書辭藻富麗，寓意明快，嬉笑怒罵，皆成文章。因而筆者認爲此書雖屬仿作，然透過內容與形式的檢視，仍可發現其價值與重要性。

　　本論文共分六章：第一章爲緒論，闡明研究動機與研究範圍，以及前人的研究成果。第二章探討作者的生平事略及其創作背景，並以《諧鐸》正文之前的序、跋，探討作者的創作動機。第三章主要討論小說的主題，有對貪官污吏的嚴厲批判、對科舉制度的攻訐諷刺、對社會道德淪喪的呼籲、歌頌真情的可貴，借因果報應論、宿命論強化教化等各種不同的主題。由此可看出作者企圖教化以及勸善世人的苦口婆心。第四章探究《諧鐸》的藝術表現，針對《諧鐸》的形式方面加以分析，分析所得的結果，如下：情節安排構思精巧、人物形象鮮明、諷刺手法的多樣。在情節方面，作者能在極短的篇幅內，安排引人入勝的故事情節，又以機智悍辯的對話組織情節，爲情節增添趣味性。人物形象塑造的成功，也是《諧鐸》的藝術成就之一，如貪官、士子、婦女等形象的塑造。在寫作技巧方面，《諧鐸》又以多樣的諷刺手法揭露現實生活中的一切醜陋現象，激起讀者的共鳴。第五章比較《諧鐸》與《聊齋》的同異。《諧鐸》雖是《聊齋》的仿作，然而作者的寫作動機卻顯然地是以教化、勸善爲主要目的，不同於蒲松齡。寫作動機的不同，因而所表現出來的內容取材、思想意識即有不同。本論文的第五章結論，綜合研究所得，肯定作者創作《諧鐸》以勸善懲惡的苦心。

目　次

陳秀香　通訊處：高雄縣湖內仁愛街 23 巷 22 號
　　　　電話：07-6995650

M8809 國立成功大學中國文學研究所碩士論文

語用學與《左傳》外交辭令

中華民國八十八年

研究生：陳致宏

指導教授：張高評先生

提　要

　　經學是中國傳統學術中重要的一環，傳統經學之研究經過學者不斷努力，至今已有相當的成績。就整體研究現況而言，今後經學的研究必須朝向新視野、新觀點來尋求突破。秉持此一理念，本文擬運用語用學觀點，對《左傳》外交辭令進行新的詮釋與探討。以下簡要說明各章討論的內容及運用之觀點：

　　第一章、緒論：本章首先說明目前《左傳》相關研究之情況，進而指出有關《左傳》文學與語言學之研究，仍有開發空間。

　　第二章、語用學及《左傳》外交辭令概論：就語言學角度而言，《左傳》外交辭令其性質是一種言語交際行為。在言語交際過程中，有些語言現象不單純是語言本身的問題，並且牽涉到使用語言的人及語言使用的環境，想要正確地解釋這些現象，則必須借助語用學。本文主要運用語用學角度來討論《左傳》中所載之外交辭令，分析外交辭令的交際過程與交際結果。

　　第三章、語用學與《左傳》外交賦詩：論及《左傳》外交辭令，必會聯想到外交賦詩。本文擬由語用學中「語境」及「間接言語行為」兩觀點，對《左傳》外交賦詩進行新的詮釋。

　　第四章、言語交際與《左傳》外交辭令：外交辭令首重成敗。成者，能為國家謀福求利；敗者，或將招致兵災禍患。外交辭令的本質是一種「言語交際」活動。有關外交辭令成敗之探討，目前未有學者專門論述。本文借鏡語用學「語境」及「言語交際」等觀點，對《左傳》外交辭令之成敗進行分析。

　　第五章、文化制約與《左傳》外交辭令：辭令本身因素對外交辭令成敗產生相當的影響力。分析《左傳》外交辭令，發現文化對外交辭令之制約，是春秋外交辭令不同於戰國及之後外交辭令的重要特色。

　　第六章、結論：本章總結以上五章所論，對於《左傳》言語交際之本質、外交賦詩與「語境」及「間接言語行為」之關係、「主、客觀語境」對《左傳》外交辭令交際產生之影響，及春秋文化對《左傳》外交辭令之制約等重要論點，再作論述。

目　次

陳致宏　通訊處：屏東市建國路 119 巷 2 號之 3
　　　　電話：08-7530031

M8810 國立成功大學中國文學研究所碩士論文

晚唐諷刺小品文研究

中華民國八十八年
研究生：陳莞菁
指導教授：廖美玉先生

提　要

　　一種文學現象的產生，與整個時代背景、政治局勢有著絕對的關係。晚唐諷刺小品文，便是李唐王朝末的崩毀時局中，知識份子們社會責任感和道德良心在文學上的一種表現。這些知識份子們扮演著晚唐社會的觀察者、批評者、以及記錄者的角色，具有強烈政治社會功能的諷刺小品文，是此時最具時代意義的光芒。本文寫作所關注的有兩個部分：一是在閱讀晚唐諷刺小品文作品後，分析當時作品中所關切、不平、警戒與思考的主題焦點，並探究其時代意義；另一則是以中西諷刺理論的視野，來探究晚唐諷刺小品文的書寫策略，與其所表現的藝術手法。本論文期望在透過內容與形式的探索，與時空環境的交叉研究之下，重新建構晚唐諷刺小品文在文學史上的地位。

目　次

陳莞菁　通訊處：台中縣潭子鄉中山路 1 段 376 號
　　　　電話：04-5328651

M8811 國立成功大學中國文學研究所碩士論文

張深切《孔子哲學評論》研究

中華民國八十八年
研究生：黃東珍
指導教授：宋鼎宗先生

提　要

本論文主要在闡明張深切《孔子哲學評論》之實質內涵，張深切活躍於日治時期的社會運動，於二二八事件後，選擇書寫前半生的經歷，然《孔子哲學評論》卻於出版後不久，旋遭查禁，說明此部評論中國哲學的著作，在臺灣必然有著深邃的時代意義。自清末以降，儒學失去活力，堂皇的中國氣勢不再，而新舊文化的衝擊一波波襲向中華子民，縱使於戰後的國民政府，文化危機之勢亦未嘗稍釋。面對以儒學爲官方意識的威權統治，跨越異文化的張深切，並未隱退於臺灣經驗之外，反而延續日治以來知識分子的文化使命，對傳統文化進行披沙揀金的洗鍊工作，《孔子哲學評論》正是其具體的成果。本論文即針對張深切《孔子哲學評論》作一爬梳。

目　次

黃東珍　通訊處：苗栗市嘉盛街42號
　　　　電話：037-263397

M8812 國立成功大學中國文學研究所碩士論文

《戰國策》鮑、姚二注本通假字研究

中華民國八十八年
研究生：黃素芳
指導教授：李添富先生

提　要

　　《戰國策》一書，記錄上繼春秋，下至秦漢二百四五十年間的史事，有賴西漢劉向定名、東漢高誘作注，又北宋曾鞏訪之士大夫家，得以三十三卷復全。經鮑彪、姚宏注釋，元·吳師道補正，清代黃丕烈札記，今日閱讀該書可獲較詳細的說解。由於轉相傳鈔，尤其鮑彪、姚宏二人同時完成注本，卻出現許多異文現象，如通假、異體、古今、訛誤及闕漏等問題，於吳師道及黃丕烈二本皆有所述，且褒貶不一。

　　異文通假現象，可以反映出該時代之文字應用情形。通假現象以同音通假爲多。本文結果得知二注本所傳鈔的版本確有不同，仔細深入分析，更從各通假字例中反映出戰國、兩漢時期文字通假的現象。

　　許慎對於假借的定義是「本無其字，依聲託事」，歸之爲「本無其字」一類，而文字在應用及時代發展的情形下，「既有其字矣而多爲假借」，及「後代訛字自冒」的情形亦爲文字應用的現象，本文皆整理爲「通假」字例之探討。由於無法探討古人於寫作當時，所寫爲借字，而正字是否已出，或有以後起字爲正字的情形，通用現象繁多，故所有字例，皆分列形、音、義的資料，加以比較與分析。

目　次

黃素芳　通訊處：澎湖縣馬公市陽明里大仁街58號
　　　　電話：06-9273111

M8813 國立成功大學中國文學研究所碩士論文

七等生書信體小說研究

中華民國八十八年
研究生：葉昊謹
指導教授：吳達芸先生

提　要

　　在西洋文學史上，書信體小說是一個獨立出來的小說文類，自十八世紀起的英、法小說史上有著特出的表現。但是在中國的現代小說發展過程，五四時期始有此種小說文類的出現，而台灣的小說文壇更是遲至八十年代才出現。七等生三部書信體小說：《譚郎的書信》、《兩種文體－阿平之死》、《思慕微微》的發表乃是標示著台灣文壇在此種小說文類沒有缺席的重要代表。

　　與七等生其它的小說作品比較，這三部書信體小說在小說的敘事形式上有頗大的不同，但是在創作的意圖與藝術理念上，七等生在作品中所呈現的一致性卻無二致。向戀人與親密的異性友人在書信中款款敘情，並陳述自己的生命思維是這三部作品的主題，理想愛情與自我追尋並置是七等生創作歷程最主要的核心部份。本論文的書寫與七等生其它的小說作品研究並沒有明顯重疊的部份，主要關注焦點乃是擺置在此三部書信體小說上面，一方面在七等生小說的創作思維上作完整性的銜接，另一方面則展現七等生在另一種敘事形式上的風格表現，希望透過這樣的研究能夠為七等生的小說作一個完整全貌的攬窺。

　　全文共分六章：第一章緒論說明研究動機、研究概況與限制；第二章述及書信體小說的發展，將書信體小說的源流、書信特質及台灣現有的書信體小說作闡發；第三章則以「自傳與小說之間的灰色沙洲」這一個特質來呈現七等生小說的特色；第四章以《譚郎的書信》與《思慕微微》兩書為主分別深入探析；第五章則就《兩種文體-阿平之死》一書的內容，放在作家通信的架構下來闡述；第六章結論部份則針對七等生的作品作一全面性的觀照。

目　次

葉昊謹　通訊處：花蓮縣玉里鎮國武里中正路 49 巷 1 號
　　　　電話：03-8882606

M8814 國立成功大學中國文學研究所碩士論文

林宗源及其詩作研究

中華民國八十八年
研究生：廖慧萍
指導教授：呂興昌先生

提　要

　　本研究共有七章，去除首章與結論，將有關林宗源及其詩作的討論分爲五個層面，分別介紹於下：

　　第二章爲〈台語文學大環境〉，冀望將台灣母語文學發展的背景縱深作立體的歷史建構，使其理路能呈顯出來。

　　第三章〈生平述評與文學歷程〉分爲兩方面來建立林宗源的各階段資料。第一節處理生平，從父祖輩掌握大時代經濟脈動，乘勢而起奠定林家產業到長輩教育態度開始，到林宗源求學時代的生活，而後成家、立業、生子與近年出國旅遊的悠遊歲月作基本介紹，作爲第二節的基底。

　　第四章爲〈文學觀念〉，主要處理林宗源的理論性文字。第一節討論「詩的創作活動」，闡述其所謂創作時必須生理心理並重，直覺與潛意識配合，以及如何將激情化爲文字的創作方法。第二節探討詩的有機性，亦即詩內容與形式如何配合達到合一的境界。第三節爲「詩人的時代精神」，討論林宗源心目中詩人本身應具備的條件。第四節爲其所有理論最後的歸趨，亦即台灣文學的定位問題。

　　第五章爲〈詩作內涵〉，進入林宗源詩作分析。觀察林宗源已發表及未發表詩作計二十多部，一千多首詩。

　　第六章〈詩語言的轉變〉則以詩語言的雙重內涵分別看林氏不同創作語言間的風格。第一節探討一九五四年至一九六四年十年間以純華語創作時期的特色與風格，第二節則爲一九六四至一九八二年爲止，以台語、華語並行創作的階段特色，第三節則是一九八二年至今以純台語作爲創作語言的階段，並透過往來朋友、詩觀念、語言純度等探討來看林宗源台語詩的特色。

目　　次

廖慧萍　通訊處：台中縣大里市健康二街 18 號 4F
　　　　電話：04-4912482

M8815 國立成功大學中國文學研究所碩士論文

八○年代以降台灣女詩人的書寫策略

中華民國八十八年
研究生：劉維瑛
指導教授：呂興昌先生、吳達芸先生

提　要

　　面臨充滿活力、狂飆的八○年代，以迄於今，政治、經濟遽變下的台灣，社會的開放、婦女議題的彰顯，無論是前世代或是新世代女詩人必受影響。因此本文的討論方向主要以八○年代以降台灣女詩人出版的作品為詮釋與析論中心，馬華、菲華以及其他地區的女詩人創作則不在討論範圍內，並檢索其性別上的策略性意義，試以受感動的讀者與批評者，進行八○年代以降女詩人書寫策略的形成與應用方法的討論。

目　次

劉維瑛　通訊處：苗栗縣公館鄉大同路 211 號
　　　　　電話：037-223320

M8816 國立成功大學中國文學研究所碩士論文

袁宏之生平與學術研究

中華民國八十八年
研究生：楊曉菁
指導教授：江建俊先生

提　要

　　袁宏既是一個文學家，也是一個史學家，更是一個玄學家，他可算是體現文史哲不分家的典型人物。他曾被譽為「一代文宗」，而其《後漢紀》又能經過歲月的洗禮保留至今，並在時代風氣的影響下，雜染清談之風。由於袁宏個性強正亮直，又受到家學傳統的影響，使其思想意識中，深植著儒家禮教的因子，因此在「君臣關係」上，他始終謹守著儒家的要求，故對於桓溫謀權篡位的行徑，自然在其心中產生了矛盾衝突，於是袁宏或著或述地將自己的心志表達於作品中。

楊曉菁　通訊處：嘉義市長安街 55 巷 33 號
　　　　　電話：05-2320278

M8817 國立成功大學中國文學研究所碩士論文

賴聲川劇場體即興創作的來源與實踐

中華民國八十八年
研究生：蔡宜真
指導教授：馬森先生

提　要

本論文分爲五章，筆者安排如下：

第一章爲〈緒論〉。先述筆者之所以研究賴聲川集體即興創作的動機與目的何在；再說明筆者對此論文的章節安排。之後，對於歷年討論賴聲川集體即興創作及其作品的文獻，作一番檢視與探討。

第二章爲〈集體即興創作的西方來源及台灣劇場的初步實驗〉。賴聲川集體即興創作，來自西方前衛劇場的學習與開創。因而，必須先探究西方集體即興創作的發展，才能瞭解賴聲川的運用。

第三章〈賴聲川的集體即興創作〉。賴聲川，一九八三年自美國加州柏克萊大學榮獲戲劇藝術研究所博士學位後，任教於國立藝術學院。然而，受過美國傳統專業劇場訓練的他，決意運用前衛劇場集體即興創作的初衷爲何？

第四章〈《賴聲川：劇場》集體即興創作劇作探析〉。運用集體即興創作出來的戲劇作品，有何特質？筆者根據第三章討論集體即興創作的特性，來分析《賴聲川：劇場》集體即興劇作風格。

第五章〈結論〉。賴聲川運用集體即興創作行之有年，更成爲獨特的創作方式。過程中，不乏效法者。然而，集體即興創作於台灣，目前尚屬賴聲川獨領風騷。因此，筆者欲從阿赫都、葛羅托夫斯基、美國前衛劇場、荷蘭雪雲‧史卓克阿姆斯坦工作劇團的集體即興創作發展脈絡的爬梳中，探究賴聲川集體即興創作的價值與定位。再者，每每標榜賴聲川領導的「集體即興創作」戲劇作品，總能創造台灣劇場票房佳績。集體即興與作品之間的奧秘，乃筆者欲窮究之處。因此，先從劇場觀點、戲劇企圖比較賴聲川與西方兩者創作方式的差異，試圖爲賴聲川集體即興創作尋找歷史位置。其次，對賴聲川領導集體即興創作，做一番觀照與省思。

目　次

蔡宜真　通訊處：台中市五常街 226 號 10 樓 B1
　　　　電話：04-2012399

M8818 國立成功大學中國文學研究所碩士論文

日治時期在臺日本詩人研究—以伊良子清白、多田南溟漱人、西川滿、黑木謳子為範圍

中華民國八十八年
研究生：藤岡玲子
指導教授：陳昌明先生

提　要

　　日本統治台灣五十年，在政治、經濟、教育、文化上對台灣產生相當大的影響，其中文學的創作，在這塊土地上曾綻放出美麗的樂章。本篇論文寫作的目的，在於瞭解日本治理台灣時期（日治時期）居住台灣的日本人，利用台灣的環境、民俗、風情、歷史故事等等所產生的創詩活動，並且深入瞭解並解析其詩作。

　　當時居住在台灣的日本文人們，大多以創作漢詩、俳句、和歌、小說、現代詩等作品為主，現代詩的研究比小說的研究少了許多，並且以日文寫作的現代詩往往使得目前台灣的研究者鮮少討論。本篇論文首先於圖書館與民間收集日文詩文獻資料，因而得到伊良子清白、多田南溟漱人、西川滿、黑木謳子等四位作家之作品，挑出適合研究主題之詩文，逐一將日文作品翻譯為中文，再將他們的作品一一地探討並且解析。研究之作品主要為伊良子清白：〈聖廟春歌〉，多田南溟漱人：《黎明の呼吸》、《星を仰いで》、《黑ンボのうた》、《渡り鳥のうた》，西川滿發表於《文藝臺灣》的詩作、〈媽祖祭〉、〈亞片〉，黑木謳子：《南方之果樹園》。

目　次

藤岡玲子　通訊處：台中縣大肚鄉華昌街87號
　　　　　　電話：

M8901 國立成功大學中國文學研究所碩士論文

傳統吉祥圖案的意象研究

中華民國八十九年

研究生：王之敏

指導教授：胡紅波先生

提　要

　　傳統吉祥圖案，可說是一門綜合了生活、藝術、文學的結晶品。其所表現的，雖然只是視覺之圖像，但其實卻含有豐富的意象，其內容涉及了遠古的各種自然崇拜之神秘心理，更加上歷朝的增附演變，吉祥圖案已成爲傳統文化的一部分，默默的進行思想、行爲、審美、道德等各方面的社教功效。

　　全文分緒論及八章節，各章內容摘要如下：

　　首先爲緒論，主要說明研究之動機、究之方向與方法及研究之價值之陳述。

　　第一章先就傳統吉祥圖案之淵源與流變切入，並對傳統吉祥圖案做出定義，使本論文有定位之依據。

　　第二章研究傳統吉祥圖案的成因，分爲心理因素、政治因素、社會與民俗文化導向因素等三方面探討。

　　第三章爲傳統吉祥圖案的分類意象解說，分爲婚姻、壽誕、科第、福祉、喪葬等五部分，分別闡釋並附圖案。

　　第四章爲傳統吉祥圖案之綜合分析，有別於前一章的多物合成意象，本章爲一物而多意象。分爲神仙類、動物類、植物類加以詳細分析。

　　第五章針對傳統吉祥圖案的表現方式暨吉祥意象呈現之方法與施用媒材之分布詳加整理，使傳統吉祥圖案之吉祥意象，如何依附及表現得以清楚呈現。

　　第六章探討傳統吉祥圖案的文化價值與社教功效，而彰顯吉祥圖案存在的意義。

　　第七章討論傳統吉祥圖案的未來發展，由現況而及於其未來之創新與出路，研究其可能發展之空間。

　　第八章結論，綜合前面所論述之重點，而做一整體歸納。並肯定吉祥圖案有表現民族特色之價值，而其吉祥意象則是自古及今求吉慾望之不變定理的綻發。吉祥圖案若能在意象及技巧上創新並配合時代趨勢與科學技術，其發展仍大有可爲。

　　本文各篇引用各圖案，均加附圖片，使文章之說明更爲清楚，文圖二者能互補參考。

目　次

王之敏　通訊處：台南市長榮路三段 84 之 4 號

　　　　電話：06-2743489

M8902 國立成功大學中國文學研究所碩士論文

《詩經》疊詠體研究——字詞改換與意義變化的關係

中華民國八十九年

研究生：吉田文子

指導教授：施炳華先生

提　要

　　《詩經》是中國最早的一部詩歌總集，它表現了周朝數百年的時代精神，反映了周朝人民的社會生活，且紀錄了周朝一般人民的各種感情表現。《詩經》在內容及形式方面，都有極高的文學價值。在形式方面，《詩經》的形式成為以後歷代詩詞歌曲形式的本源。《詩經》國風及小雅各篇中的句型有個明顯的特徵，即是每章中具有反覆類似的詩句，文句中有一兩個字詞有改換。清代姚際恆《詩經通論》將此文體稱為「疊詠」。疊詠的章數，少則兩章，多則四、五章。大部分的研究者認為這種字詞變化僅是為了換韻而已，不太注重意義上的變化。有關《詩經》疊詠體字詞改換意義的研究，有日籍學者加納喜光先生的〈變換詩--構造——詩經國風--基本詩形〉，他以「漸層法」的理論為主，再以西方語言學的概念為輔，架構《詩經》研究論，解釋《詩經》全篇。他可能是以「漸層法」的理論為主，以解釋詩經全篇的第一個研究者。但是加納先生的解釋往往太依靠理論，與前人的解釋比較，有時造成離譜的解釋。結果，對單純的反覆、單純的音韻變化之詩篇，也採用漸層法解釋。如此來看，對疊詠體中字詞改換部份的研究，還有許多值得探討的問題。本文乃以《詩經》疊詠體中字詞改換部份的意義變化為對象，探討其特徵與它對詩意的影響為何。

目　次

吉田文子　通訊處：台南市東興路 131 號 5 樓之 5
　　　　　　電話：06-2756252

M8903 國立成功大學中國文學研究所碩士論文

魏晉尚達之風研究

中華民國八十九年
研究生：李虹瑩
指導教授：江建俊先生

提　要

　　本論文乃主要欲探討魏晉時代，在玄風影響下的「尚達」風氣，尚達一說乃取其「時人以爲達」（見《晉書·王濛傳》）、「亦欲作達」（見《世說新語·任誕11》）之義。自東漢以來的戚宦之爭，士人面對朝政日衰，國將凋敝之現象，做了「知其不可而爲之」的回應，結果仍是無補於事。然由陳蕃、李膺等的犧牲，卻喚醒了廣大知識份子另一個思想的方向—士人們退而求其次地以柔性的「清談」代替「清議」，以「道家玄之又玄的學問」代替「儒家積極進取的性格」。於是，「月旦人物」的風氣形成一種人格欣賞的角度，由對人物片面的欣賞加之對老莊一類人物的仰慕，又激起了其後魏晉人士對人格風尚，特別是「曠達」、「清逸」一類的喜好。

　　爲何魏晉士人會承此風甚至加以發揚光大？主要仍在政治的腐敗，在位者的「面善心惡」，黨同伐異的結果，名士少有全者，故有才者、有識者，只好穢跡隱身，或不仕，或嗜酒，作「無言」的抗爭。如嵇康與阮籍。他們作爲名士的代表，同時及後來的士人卻「有跡可循」，將七賢一些嗜酒、蔑禮的行爲加以發揚光大，造成一股「達風」，其中最著名者即「八達」。「八達」可謂將七賢之行爲承繼得淋漓盡致，可惜卻只類其貌而無內涵，有如東施效顰，故若欲以「達」稱許胡毌輔之等八達，實只能稱其爲「放蕩之達」，純爲「形體」上的「形達」，而非像嵇、阮般屬於心靈性靈上的「曠達」。

　　八達的時代在西晉元康年間，此期亦正是賈后掌控天下，且八王之爭漸熾之時，這些「假名士」打著「放曠」之名，卻有著放蕩之實，與上位者的爭鬬殘殺，恰好上演了一齣上行下效的丑劇。上位者利慾薰心，居下者縱慾無檢，這股崇「尚」七賢之「達」風至此，算是完全扭曲變形，「八達」之「達」也成了被諷刺、反嘲之名詞罷了！另外一群名士擺起「虛曠」、「放逸」之姿，一方面用清談來馳騁其聰明口辯的才華，另一方面則又居朝閒散，有仕宦之雅名，卻又可借老莊之無爲逍遙來處政，郭象的「跡冥圓融」論就正好是他們心態的反映。

　　不過名士這種「與世無爭」、「逍遙自在」的愜意只是短暫的，轉眼間，有的被殺，有的沒沒無聞、抑鬱以終。只留下一、二的零星光芒，故《世說新語》〈賞譽〉、〈言語〉、〈夙慧〉、〈品藻〉等篇中多的是一句雋語、妙語或甚至不用言語，就只一個眼神、一個動作，就被人贊嘆不已，視之爲「達」。可見當時對「達」的欣賞是所有人物品評的最高境界。

目　次

李虹瑩　通訊處：台北市延平北路九段 144 巷 22 號
　　　　電話：02-2810197

M8904 國立成功大學中國文學研究所碩士論文

《景德傳燈錄》疑問句研究

中華民國八十九年

研究生：李斐雯

指導教授：竺家寧先生

提　要

　　疑問句在漢語裏是種很特殊的句型，本文探討的是北宋初年的問句，因近代漢語遠紹上古，開啓現代，居漢語史關鍵地位。研究對象是《景德傳燈錄》，這本禪宗語錄真實地記錄當時的口語，語料豐富值得探索。

　　論文共分七章，第一章是緒論，說明寫作動機、步驟，以數據和分析並重，再簡介《景德傳燈錄》以及檢討現今研究成果。第二章探討漢語疑問句的相關問題，包含疑問句的特點、構句條件，及分成特指問句、是非問句、選擇問句、正反問句四類。第三章至第五章著手探討這四類問句在《景德傳燈錄》的展現。第三章是特指問句、第四章是是非問句、第五章是選擇問句及正反問句。各章以疑問句型的構成、疑問詞語的使用爲分析重心，並且在各章末尾評斷《景德傳燈錄》在歷史語法的定位。如此，不但清楚地呈現《景德傳燈錄》的疑問句，還可明白歷時的演變，給予《景德傳燈錄》正確的語法史評價。第六章比較《景德傳燈錄》和《祖堂集》，此二書同屬南方語言，成書相距五十年。探討二書的問句過後，發現《景德傳燈錄》與《祖堂集》的語言相當類似，可知《景德傳燈錄》雖經楊億等文人修改，但幅度並不大。而且從二書的比較，亦可看出語言從晚唐到北宋的變化情況。第七章是總結，整理《景德傳燈錄》的疑問句特點，及《景德傳燈錄》可再發揮的研究點。

目　次

李斐雯　通訊處：台南市文賢路 365 巷 28 號
　　　　電話：06-2508136

M8905 國立成功大學中國文學研究所碩士論文

《莊子》的生命體驗與倫理實踐

中華民國八十九年
研究生：孫吉志
指導教授：林朝成先生

提　要

　　本文由析論《莊子》蛻變與成熟的修養工夫開始，說明逍遙是由技入道，是忘懷安適的安適。在修養進程中不是以是非論斷而得進步，而是以「猶有未樹」、「猶有所待」的方式提升，給自己一個可以進步的空間，使生命得以真正開拓，進而體道，體會天籟、喪我的境界。並由壺子的寓言得知至人生命積極開展，無止盡，不可測，且展現應化解物的瀟灑丰采。

　　再說明「境界形態形上學說」的意涵，不及《莊子》積極開展的精神，故援引壺子的寓言以補強「境界形態說」的意涵。然後從修養觀點解說看似實有義的章節，尤其是〈大宗師〉「夫道，有情有信」一則，期使修養論更加堅實。

　　接著凸顯生命體驗與客境的對應。首先藉生死、夢覺的相互比喻，說明生死夢覺的意義等同，是一積極統一體，化成生命的自然流轉，由此衍生因果問題，故當安時處順以得解脫，若不能自己解脫，就是執滯於外物。安時處順不是消極隨順，而是在大化流行、現實環境中積極開拓，進而體道，遊於生死夢覺之間。此並論述物化，「殺生者不死，生生者不生」，與大化相契的境界。

　　在大戒的問題上，義是客觀環境下的生活規範，無所逃，但可選擇；命是不可解之事，這不是宿命論，而是積極的情感調適。欲消解大戒，就須自事其心而忘其身，至於坐忘。而去知實是忘掉、去除因偏好、偏執而來的差別性判斷、過度的知識活動，不是去除經驗性的、分解性的、概念性的知識活動。

　　經驗知識、認知活動很重要，只有掌握清楚，才能安享生活，但生命不能因此被侷限。若從功用的適當與否來看，則經驗知識、認知活動平齊，其差異是自然分際。只要能保持個人客觀性，生命就不容易閉塞，經驗知識、認知活動與真知也就不會對立，並可由「可矣，猶未也」的積極開拓，使經驗知識、認知活動與真知相互涵融，成為天性。此處並說明「聖人不謀，惡用知」、〈養生主〉「吾生也有涯」一則、「知者也，爭之器」、「去小知而大知明」的真意並不反知。

　　然後說明天刑的根源，並非外在的名利、生死的桎梏，而是自是、自我執滯的心態，可見刑者自刑，天刑的根源仍在自己，正與遁天之刑的根源相同。若無自是、執滯，則可以無繫於心而得逍遙，不務事可以逍遙，務事也可以逍遙。

　　最後討論生命現存的落實與開展，首先論述聖人無情與親情的調和，以知聖人之情乃秉受於自然大化，有其天性的骨肉親愛之情與自然好惡。進而破斥世俗之情如得失、榮辱的虛妄。然後勾勒聖人以精神境界為標準的特殊友情觀。

　　至於器物亦為道的展現，若器物能各得其用，就歸於平等。器物運用若能跳

脫習常思考，則有全新的大用、妙用，甚至使器物製作有創新的發展。前人多以爲《莊子》因「機心」而對器物運用發展持反對態度，其實《莊子》從批評惠施拙於用大、有蓬之心，發展而爲反對機心，肯定器物發展，有其一貫的立場。

目　次

孫吉志　通訊處：高雄市前鎮區明祥街 18 號
　　　　電話：07-8212799

M8906 國立成功大學中國文學研究所碩士論文

《說文解字》指事象形考辨

中華民國八十九年

研究生：晏士信

指導教授：謝一民先生、沈寶春先生

提　要

　　許慎《說文解字》釋語精簡，詳注「指事」者僅「上」、「下」二字，故後世學者於「指事」、「象形」二書之論辨頗繁，義界、例類皆顯紛歧；前賢從事字學研究，關於「指事」、「象形」或有梳理統計，然未能悉依許慎原意進行，其結果終屬自身認定體系之落實；許慎據篆分析，或未達文字結體本真，此據甲骨金文可爲補正。

　　針對以上三點，本文研究「指事」、「象形」之辨，主要目的如下：

　　一、指事、象形二書基本義界之辨析；

　　二、《說文解字》所錄指事、象形二書之辨識；

　　三、《說文解字》指事、象形二書於古文字材料檢驗下之辨正。

　　本文研究成果針對研究目的，總結凡三：

　　一、釐清「指事」、「象形」義界，於前賢論說辨析下得出結果；並透過「指事」、「象形」方式之論述，依本先師謝一民先生所論，闡明二書正變例類；進而嘗試確立「指事」、「象形」分判條例凡十。

　　二、透過本文二書分判準則，參以前賢所謂許慎論說，共得《說文解字》所錄「指事」總數凡206文，「象形」總數凡226文，相對今日可見最多《說文解字》正字字數（9447），「指事」、「象形」二書之分佔比例爲2.18%，2.39%。

　　三、根據甲骨金文進行考察，可得象形誤入指事者41處，佔《說文解字》指事總數19.90%，指事誤入象形者4處，佔《說文解字》象形總數1.77%，二項加總即二書互誤之比例約10.42%。他類誤入二書者，形聲未見，會意凡9，佔二書總合2.08%。《說文解字》於「指事」、「象形」之錯析，共計約12.5%。統合三、四、五章考辨成果，試將所有誤析文字進一步加以還原，本文推測《說文解字》全書「指事」、「象形」可能分佔之確實比例：指事197文，2.09%；象形311文，3.29%。

目　次

晏士信　通訊處：台中市中清路 112 巷 17 弄 18 號
　　　　電話：04-4251741

M8907 國立成功大學中國文學研究所碩士論文

《圓音正考》研究

中華民國八十九年
研究生：郭忠賢
指導教授：李添富先生

提　要

　　近代音是上承中古音，下啓現代音的橋樑，而近代音有十分豐富的材料，提供了中古音到現代音演變的訊息。透過這些語料的分析，使我們知道現代漢語各成分的來源，和形成的脈絡。本文所研究的資料《圓音正考》便是近代音語料之一。透過對《圓音正考》的分析，可看到對於漢語舌面音聲母的記錄與分辨。《圓音正考》一書中記錄近代漢語中「顎化作用」的語音演變結果，在近代音史上著實是留下一筆非常珍貴的資料。《圓音正考》一書，已將當時讀音逐漸趨於混同的尖團音分列，這正表示顎化作用在當時受到時人的正視。因此站在漢語語音學史的角度來看，此書有其重要性，拿來分析研究，似乎有其需要。

目　次

郭忠賢 通訊處：屏東縣新園鄉南龍村南龍鹿 101 之 5 號

電話：08-8333823

M8908 國立成功大學中國文學研究所碩士論文

徐鑑《音泲》研究

中華民國八十九年
研究生：彭志宏
指導教授：竺家寧先生

提　要

　　《音泲》一書成書於嘉慶年間，作者爲徐鍵，順天府大興人。全書共分爲六章，依序爲〈五聲〉、〈切韻〉、〈射字〉、〈字韻〉、〈字母〉、〈餘韻〉等，主要是爲了「初學者」、「童蒙」識字辨音所作，故以韻圖的形式記錄當時的語音，也反映了十八世紀末，十九世紀初的北方語音實況。

　　而本文對於《音泲》一書的研究討論，共分爲六章：

　　第一章：緒論，略述對《音泲》一書的研究動機與研究價值，以及前人的研究成果與本文所採用的研究方法與依據。

　　第二章：綜括性的概說《音泲》一書的內容與性質，以及討論作者的生平、成書的原因與版本特色，最後對於《音泲》一書中所記載的「射字法」，加以研究與討論。

　　第三章：本章則專門論及《音泲》所記載的聲母系統，首先論及研究的方法與依據，再來討論其聲母與中古音之間的變化，最後就其音值加以討論與擬測。

　　第四章：本章則專門論及《音泲》所記載的韻母系統，首先論及研究的方法與依據，再來討論其韻母的演變，並且將全書的韻字列出，比對《廣韻》、《切韻指南》，最後就其音值加以討論及擬測。

　　第五章：《音泲·餘論》章中，作者徐鑑記錄了當時許多的「俗音」，依此我們將可以看出古今音讀的演變，故本章就徐鑑所記載的「俗音」加以討論，並且將其所反映之音變，列成表格。

　　第六章：結論，綜述本文的研究成果，並且將《音泲》中所記錄之語音與中古音和國語做個比較。

　　附錄：附錄分爲兩個部份，首先將列出《音泲》中各韻字的音讀擬測，之後則將《音泲》不同版本之書影置於論文中，方便讀者閱讀。

目　次

彭志宏　通訊處：屏東市公民街 95 之 4 號
　　　　電話：08-7669870

M8909 國立成功大學中國文學研究所碩士論文

張載讀書論研究

中華民國八十九年

研究生：黃美珍

指導教授：祝平次先生

提　要

　　讀書是張載修養論中至為重要的一環，從張載對於讀書以及與讀書相關的論點加以歸納分析，可以分為四大綱領，由此四大綱領可以建構一個整體的讀書論，並以此作為透視張載整體思想之憑藉。這四大綱領分別為：文本之揀擇、讀書之修養要求、讀書歷程以及讀書理想。張載從揀定聖人文本、唯聖人之言是讀，並以知虛能大的修養為前提，以大而化之為成聖最佳途徑，強調漸進不已的歷程，最終要到達位天德的境界，其始終一貫的用心，一在求修身成性以經世致用，一則是儒家傳統的承繼。從讀書理論的脈絡來看張載的思想理論以及行事作為，可以有更具體清晰的認識。

目　次

黃美珍　通訊處：台南市民族路二段 78 號

　　　　　　電話：06-2698318

M8910 國立成功大學中國文學研究所碩士論文

段玉裁《說文解字注》「淺人說」探析

中華民國八十九年
研究生：黃淑汝
指導教授：李添富先生

提　要

　　段玉裁《說文解字注》十五篇，各分上下，凡三十卷，是段君花了三十多年心力寫成的，為清代「《說文》學」鉅作之一。由於段君之注解對《說文》研究，有甚為獨到而且明確之意義與價值，所以王念孫曾稱之曰：「蓋千七百年來無此作矣。」對於自己的意見，段君相當自信，因此在注中常有批評、指斥前人的錯誤之處。全書中，段君指出他人錯誤，而以「淺人」稱道者為最普遍，這種形式的論述與批評是它書所無的，因而也成為《說文·段注》的一大特色。但是，段君以一己之力注解《說文》，雖然成就非凡，卻也不免有失，或因自信太過而有主觀臆測，或因時代、環境變遷卻囿於所見，故其批評亦有可以商榷之處。

目　次

黃淑汝　通訊處：台北縣淡水鎮沙崙路 131 號 13 弄 2 號 7 樓
　　　　電話：02-2805463

M8911 國立成功大學中國文學研究所碩士論文

張洽《春秋集註》研究

中華民國八十九年
研究生：黃智群
指導教授：宋鼎宗先生

提　要

　　張洽乃朱熹嫡傳弟子之一，《宋史·道學傳》載有張洽好學、勤政愛民之史蹟。張洽身處南宋理宗時期，外患內憂紛乘，七十四歲（理宗端不元年）時將《春秋集註》、《春秋集傳》等書藏給朝廷，實踐書生經世治國之理想行動。

　　宋代是義理治經的時代，《春秋》學特別發達，因此本文以張洽《春秋集註》為研究對象，擬從張洽身世、師友、學統、世宦、時勢等背景，探索、分析《春秋集註》之內涵，一窺宋人治《春秋》之特色，推論張洽《春秋集註》之經學地位。

目　次

黃智群　通訊處：台南縣官廟鄉布袋村 52 之 12 號
　　　　電話：06-5552223

M8912 國立成功大學中國文學研究所碩士論文

唐代俠詩歌／小說之行俠主題研究

中華民國八十九年

研究生：楊碧樺

指導教授：廖美玉先生

提　要

　　本文揀選出唐代的俠詩歌與俠小說，研究武俠文學類型學中一項重要的「主因素」，亦即「行俠主題」。「行俠主題」既身為武俠文學類型學下的一「主因素」，「主因素」又包含了「不變因素」與「可變因素」，因此「行俠主題」除了有其特定的不變因素外，隨著時代的推進，也讓「行俠主題」加入許多可變因素，這些可變因素亦彰顯了時代的特色。

　　本文即以這種「不變因素」與「可變因素」的觀點進行論述，因此以「平不平」、「立功名」、「報恩仇」為行俠主題的「不變因素」，再從中細析隨著時代或體裁而異的「可變因素」，以求將唐代俠詩歌／小說之行俠主題作一較完整的詮釋。

　　唐代的俠詩歌與俠小說風起雲湧，有較完整豐富的行俠主題，因此本文對唐代俠詩歌／小說的行俠主題分析從「平不平」、「立功名」與「報恩仇」三方面論述，再對唐代俠詩歌及俠小說在質與量上或相等或相差的行俠主題，做進一步的討論。

　　「平不平」為俠詩歌／小說最基本的行俠主題，唐代的俠詩歌／小說中不乏對「平不平」行俠主題的頌寫。這股不平之氣，對己身激盪成膽氣豪情，對他人則化為扶危濟困，而無論是自身表現不平之氣的膽氣豪情，或是用這股不平之氣對他人的苦難做出回應，背後皆有一種理想性的存在，這種理想性的存在我們稱之為「俠者烏托邦」。因此分三部分來分別論說。第一部分討論對做為一種類型存在的俠詩歌／小說中重要的敘事基調，亦即「膽氣豪情」，在唐代的俠詩歌／小說中的呈現。第二部份則討論在行俠主題中最具純粹道德的「扶危濟困」，在唐代俠詩歌／小說有何實例與特色。最後的第三部分，分析構成俠者這種「平不平」心態的內心理想企盼「俠者烏托邦」，它在唐代俠詩歌／小說中的樣貌顯像。

　　「立功名」有一重要的功能，因為文人私心既欣賞俠氣與狂醉，但俠又有太多與法治不合之處，所以「立功名」也成了一讓俠合理、合法化的手段。而唐代詩歌出現的「立功名」行俠主題，所作一番讓游俠形象合法化的努力，一直延續至清代的俠義小說也都被遵奉著。本章分三部分來論述，第一節是對功名之思的考察，第二節說明「立功名」的模式，第三節則是功成不受的心理探討。

　　「報恩仇」是唐代俠詩歌／小說中新興的行俠主題，故首先追溯中國傳統中源遠流長的「報」文化，以審視「報恩仇」行為之本源。其次討論唐代俠詩歌／

小說中展現的恩仇觀念內涵與其侷限。由於在報恩仇的過程中，常可見野性殺戮的場面，對象可能是自己，可能是他人，但只要行使者爲俠，便不至遭致太嚴厲的譴責，反予其以慷慨悲壯的評價，關於這種潛藏在人性深處的嗜血慾望，本章最後便加以探討。

目　次

楊碧樺　通訊處：新竹市延平路一段 357 巷 98 弄 10 號
　　　　電話：0952-571002

M8913 國立成功大學中國文學研究所碩士論文

《史記》悲劇人物與悲劇精神研究

中華民國八十九年
研究生：蔡雅惠
指導教授：張高評先生

提　要

　　《史記》的悲劇特質，乃屬於廣義美學的範疇。司馬遷因自身經歷及對當時政治的體認，其對「美」產生不同於傳統儒家的看法，他特意強調歷史人物的崇高人格與政治社會間的矛盾，透過其精湛的文學表現技巧，展現《史記》的悲劇美。

　　此文旨在探討《史記》悲劇人物與悲劇精神特點，而人物與精神之所以得以稱爲悲劇，必有其條件。從西方美學角度而言，悲劇之構成，在人物的行徑、情性，事件的特性，與悲劇力量與情感的展現，都有其內涵特質。這些悲劇內涵即爲檢視《史記》悲劇人物與悲劇精神的要點。

　　對類型人物的探討，能提供讀者深刻印象並給予鑒戒教育功能，由《史記》人物悲劇的形成進行探究分析，得以歸納出四種類型的悲劇人物，包括忠義型、政爭型、性格型與成他型。悲劇人物之所以在其悲慘際遇中，能夠引起讀者敬重、憐惜情緒，乃在人物思想行動下，散逸而出的悲劇精神。《史記》悲劇人物的精神特質，與傳統儒家精神有合符節之處，亦有相異的特點，此部分的探討結果對《史記》思想的認識，也提供另一思維角度。《史記》的悲劇性是中國美學史上的光輝，此特性的展現，使司馬遷除了是史學家、文學外，更兼具美學家的身份。

目　次

蔡雅惠　通訊處：彰化縣溪湖鎮大溪路一段 121 巷 26 號
　　　　電話：04-8851606

M8914 國立成功大學中國文學研究所碩士論文

活法與宋詩

中華民國八十九年
研究生：鄭倖宜
指導教授：張高評先生

提　要

　　近來學者對宋詩或宋代詩學的研究，已由原先較微觀式探討少數大家的作品、理論轉向對宋詩或宋代詩學做全面、系統性的研究，並且注重學科文化的整合工作。「活法」說便是宋代思想與文學交會下的一個課題。

　　歷來學者多將「活法」說的研究焦點放在江西詩論的討論上，然而文學風氣既開，非江西詩派之文人對此說自有反應，亦有詮釋。因此本論文以宋代詩話、筆記爲素材，選取近三十部宋代詩話、筆記作爲探討對象，整理、歸納了宋人對「活法」說的闡述。文中對於「活法」說形成之歷程、宗江西論者與反江西論者（甚至不屬於此兩派陣營者）闡述「活法」之論點以及宋人運用「活法」入詩的特色皆有所探論。

　　透過本論文對「活法」說的探究後，當可解決下列的學術問題：一、江西詩派曾被後人批評爲剽竊、抄襲的詩法，藉此有所澄清，江西詩法的真實面貌與價值，亦可進一步獲得突顯。二、宋代筆記、詩話中，與「活法」說「異名同實」的術語，經由本文歷史源流考察、異同比較研究後，其義界當能更加明確，對於讀者認知宋代詩學不無裨益。三、宋詩的特色與價值，一直招受批評與存疑，藉由本文的探論亦能有所釐清。

目　次

鄭倖宜　通訊處：台南市海佃里國安街 28 巷 16 號
　　　　　電話：06-2583672

M9001 國立成功大學中國文學研究所碩士論文

蕭颯及其小說的三種主題研究

中華民國九十年
研究生：吳亭蓉
指導教授：吳達芸先生

提　要

　　崛起於七〇年代，成爲八〇年代小說界主力，並且持續創作的女作家蕭颯（1953－），在台灣文學史、女性作家群裡，自有不可忽視的重要地位。蕭颯對寫作有深根蒂固的痴迷執著，對自我有不斷進步的期許要求，落實在小說上形成了題材與形式的不斷推陳出新，展現了自我突破、努力不懈的文學精神。因此，本文除了試圖爲蕭颯的生平與其自強不息的文學足跡作一個較完整的記錄外，主要是從蕭颯繁富豐美的小說題材中歸納出三種主題加以探討，並試著揭示蕭颯個人色彩鮮明的生活經歷在其小說風貌上的意義。

　　結果發現，從蕭颯對「青少年」問題的關懷和描述看來，有其成長背景的經驗存在，但這個議題，不僅有別於同時期女作家的創作範疇，更有其極積開創的意義，是確切地反映了台灣工商化、都市化後，連帶所衍生的日益嚴重青少年問題; 而其「女」作家的身分，切身體驗的女性情愛，對女性與婚姻、工作家庭、外遇受難到發展自我等問題的抒寫，除了女性意識有愈來愈強烈的趨勢、舖陳出女性成長的路向，還構成了此時大批湧現之女性文學、蔚爲風尚之女性主義的基本內容；另外，蕭颯對「親子兩代」關係的陳述，儘管仍脫離不了一己之背景因素，但其在親子「性／別」不同以致不同角度的切入，實則揭露下一代男性困守在傳統的角色、架構，相對於下一代女性的成長、超越，這樣的議題，仔細檢閱，不難發現亦是印證了時代、社會的現象。

　　綜言之，人生、文學、社會，蕭颯穿梭其間，與時推移，自省自剖、反思觀照，自有其動人之處，呈顯出非凡的意義，益可作爲時代社會樣貌的象徵和依據。

目　次

吳亭蓉　通訊處：台南縣麻豆鎮和平路 5 之 2 號
　　　　電話：06-5728911

M9002 國立成功大學中國文學研究所碩士論文

殷周金文形聲字研究

中華民國九十年

研究生：宋鵬飛

指導教授：沈寶春先生

提　要

　　就結構而言，整個漢字發展歷程即是形聲化的過程。形聲字的比例，從殷商甲骨文的百分之二十幾，過渡到《說文》小篆的百分之八十幾，兩周時期應是關鍵階段；金文是本時期的重要文字材料，則金文形聲字的研究對於瞭解漢字形聲化過程來說，其重要性自然不言可喻。

　　本文以殷周金文形聲字作爲研究對象，得到四項成果：一是金文形聲字主要構造方式的確立。分析整理後，發現金文形聲字的產生方式，主要是「並時形成」，而非「聲符先造」；如果說，金文是形聲字大量產生時期的主要材料，那代表金文形聲字主要構成途徑的「並時形成」方式，很可能就是漢字形聲化的主要方式了。二是殷周金文形聲字省聲情形的釐清。共歸納得到殷周金文省聲字八種類型，其中「替換成較簡易的聲符」，是筆者所提出的新類型，在異體字裡，替換成較簡易的音同或音近的聲符結構，應該也算作一種省聲；至於省聲字的成因，筆者也歸納整理出「陶范的脫落與損壞」、「文字要求方正美觀」、「偏旁書寫可較隨便」、「時空差異分別創制」與「假借與通假的影響」等五項。另外，對於「省聲」觀念在古文字釋讀上的運用與誤用，本文也有舉例與說明。三是殷周金文形聲字多聲情形的辨析。整理出殷周金文形聲字材料中的 19 個多聲字，一一進行分析與說明，其中也舉出一些誤爲金文多聲字的例子。此外，本文也從構成方式的角度，整理出「純雙聲符結構」與「形聲字疊加聲符」兩種多聲字類型，以及「繁飾美化」、「爲避混淆而特設專字」、「語音變遷與方言差異」與「原聲符訛化而疊加聲符」等四項金文多聲字成因。四是對金文形聲字做出翔實的統計與整理。統計結果顯示，殷周金文形聲字比例是 64.53%，由是可知，殷周金文階段的形聲字，已佔過半比例，秦代透過文字統一的規整化措施，更將小篆形聲字比例提升至八成以上。金文比例的數計結果，也填補了從甲骨文到小篆之間形聲字比例的空缺。

目　次

宋鵬飛　通訊處：屏東縣內埔鄉大新村大新路 25 巷 8 號
　　　　電話：08-7702297

M9003 國立成功大學中國文學研究所

陳逢源之漢詩研究

中華民國九十年
研究生：李貞瑤
指導教授：施懿琳先生

提　要

　　陳逢源（1893-1982）詩作文學性高，創作時間長、數量豐，並因多重角色的扮演，故詩作中形成豐富的觀察面向。處於異質文化與新、舊文學的交鋒期，「二世文人」陳逢源提出對於舊詩壇的革新觀點，加入了漢詩改革行列，並在傳承中國古典詩學上，有相當貢獻，對台灣古典詩壇而言，實有其一定的地位與價值。本論文即由陳逢源漢詩的內容，以了解其思想層面，並進一步探討在新文學與漢詩兼創的二世文人中，其文學創作重心，及其漢詩的內容與藝術特色。

目　次

李貞瑤　通訊處：高雄縣鳳山市勇志街20號
　　　　　電話：07-8411085

M9004 國立成功大學中國文學研究所碩士論文

雲棲袾宏護生思想「普化」與「實踐」的呈現脈絡

中華民國九十年
研究生：李雅雯
指導教授：林朝成先生

提　要

　　這篇論文要整理出「佛教護生思想的理論脈絡」，這是因應社會輿論、宗教學界的需求而產生的：民國七十～九十年間，台灣佛教定期舉行的放生儀式破壞了生態環境，引起民眾、環保界的指責；宗教界為了回應社會輿論的需求，開始解釋「放生」行為的宗教意義。在缺乏整體思想呈現的狀況下，宗教界的回應並不能增加我們對「放生」的認識，尤其不能解釋「放生」這件事情為何會產生弊病；要釐清放生的意義，解釋佛教放生產生弊病的原因，就先從產生問題的那點回溯起：我們知道放生的功德觀念是造成問題的主要因素，台灣民眾相信放生可以消災解厄、添福增壽，因此不顧物種平衡、生態危機，造成環境破壞。這個癥結是佛教宣傳護生思想時的重要觀念，因此整理出佛教宣傳護生思想時的整體思想脈絡是必要的；藉由護生思想整體的呈現，可以明白看出功德思想在佛教宣傳護生過程與內容中的意義、地位，而藉由這種意義、地位的釐清，就能理解「放生功德觀」產生的歷史根源，進一步反省現今「放生功德觀念」的意義。

目　次

李雅雯　通訊處：台中市長安路三段333號
　　　　　電話：04-2922288

M9005 國立成功大學中國文學研究所碩士論文

魏晉南北朝五言詩擬作現象研究

中華民國九十年
研究生：徐千雯
指導教授：廖美玉先生

提　要

　　本文以魏晉南北朝五言詩擬作為研究對象，分別觀察擬作的理論溯源、擬作對象的選擇與確立，作為作品討論與分析的關照點。在理論與文本同時照應的過程中，呈現出魏晉南北朝五言詩擬作現象的分析。全文共分五章：

　　第一章緒論，在於說明本文的研究動機與目的，並將目前學界相關的著作概括說明，分析出擬作在歷來不同討論中的評價。

　　第二章「擬作的理論探究」，先由魏晉南北朝之前對於摹擬的概念談起，為擬作的理論作歷時性的分析，繼而歸納魏晉南北朝相關的評論，再藉擬作詩歌作為考察的對象，以瞭解創作行為與論評之間的差異。並探究作品摹擬與自然摹擬的異趣，及其發展上的問題。

　　第三章「典範的抉擇與確立」，除了擬作者的討論，觀察對象的選擇，也是討論魏晉南北朝五言詩擬作的重要切入點。文中特就實際的摹擬情況，以及當時評論家所歸納的各家典範作一對照，進一步分析典範對於擬作者與擬作的影響。發現在典範選擇的過程中，受到影響的不只是擬作者及其作品，包括典範因為屢屢成為摹擬對象，而於文學史中造成相當程度的影響。

　　第四章「擬作與原作的比較」，分別就魏晉南北朝五言詩的擬作進行分析、比對，主要是以摹擬〈古詩〉、摹擬阮籍《詠懷詩》、謝靈運〈擬魏太子鄴中集〉八首、江淹〈雜體詩〉以及其他擬體詩文論述重心。在作品逐一分析的過程中，可以明確的看出擬作逐漸脫離原作的模式，加入當代的文學特質，成為文學發展重要的一環。此外擬作一方面提昇自己文學造詣，另一方面則成為許多詩人述說己懷的重要管道。

　　第五章「結論」，概述本文的研究心得之外，對於後續的發展研究，作了簡單的分析，期能作為日後努力的方向。

目　次

徐千雯　通訊處：台南市北成路 80 巷 1 弄 1 號
　　　　　　電話：06-2828055、06-2531199

M9006 國立成功大學中國文學研究所碩士論文

「神韻」詩學譜系研究——以王漁洋爲基點的後設考察

中華民國九十年

研究生：黃繼立

指導教授：廖美玉先生

提　要

　　在本文裡，筆者嘗試著以清代詩學大家王士禛的「神韻說」作爲後設考察的基點，以建構出一個特殊的詩學譜系，即「以王漁洋爲基點的『神韻』詩學譜系」，並思考此一詩學譜系內部的變化及其特殊意義。

目　次

黃繼立　通訊處：台中市永春東路 124 號
　　　　電話：04-3865910

M9007 國立成功大學中國文學研究所碩士論文

翁方綱肌理說研究

中華民國九十年
研究生：楊淑玲
指導教授：陳昌明先生

提　要

　　翁方綱在詩學領域提出的肌理說，可算是清代乾嘉時期最有影響的詩論之一。後來研究肌理說者，莫不推崇其兼義理與文理而成一完備的詩學體系。重視義理與講究文理，確實是翁方綱闡述肌理說得以兼顧內容與形式的具體表現。然文理與義理的獲得，需仰賴積學博覽的工夫，因此熟參考古人的作品以建立個人創作與批評的能力，不僅是翁方綱論詩的重心之一，提出可供實行的批評方法，以及對批評方法的相關討論，可謂不遺餘力。運用各種批評的方法對古人的作品進行的梳理與探究，將理論落實於實際批評的作為，使肌理說不只是停留在理論的討論，更能從其特有的批評方式對詩歌進行多方面的觀察與反省。肌理說的建立係針對當時的詩風與普遍流行的詩論而發，主要的論題焦點集中在明代李、何的格調說與清初王漁洋的神韻說。翁方綱對此二說提出不同程度的修正與補充，並借梳理詩論的發展脈絡來彰顯肌理說的價值。本文大致分形成的外緣因素、理論意義與實際批評三方面對肌理說進行探究。

目　次

楊淑玲　通訊處：高雄市三民區寶獅里光富路64號
　　　　電話：07-3871110

M9101 國立成功大學中國文學研究所碩士論文

從出世到入世—湛若水對「學宗自然」之闡釋

中華民國九十一年
研究生：張佑珍
指導教授：祝平次先生

提　要

　　湛若水爲明代中期的重要思想家，他所領導的江門學派，與王守仁的姚江學派各擅勝場，各領風騷。但是自湛若水死後，江門之學逐漸式微，到最後竟然隱沒不聞，整個被姚江學派蓋過。

　　筆者認爲，江門學派的沒落，與湛若水修正補充陳獻章的思想有相當重要的關係。陳獻章與湛若水的生平，一爲出世的隱逸歲月，一爲入世的仕宦歷程，而這樣不同的生命情調，在思想上便呈現「學以自然爲宗」到「隨處體認天理」的變化，這樣的改變，也就是說湛若水讓原始江門的思想，逐漸社會化，最後失去本身的獨特之處。

　　至於社會化的理由來自於學界與政界。在學界部分，湛若水必須處理陳憲章受到近禪的批評與王道在《老子億》主張的儒道會通。湛若水的處理方式爲強調江門的儒家屬性，以區別江門的思想與佛老之間的差異。在政界的部分，湛若水本身的思想則往往受到明世宗的影響而改變，譬如大禮議事件中的立場、對佛道的政策等等。

　　從上述事件可知，湛若水的思想確實走向爲政治服務、往儒家主流靠攏的路線，以至於江門獨特的林下之風逐漸消失，最後被姚江學派所蓋過。

目　次

張佑珍　通訊處：台北市北投區開明街41號
　　　　電話：0919310572

M9102 國立成功大學中國文學研究所碩士論文

殷周金文助動詞詞組研究

中華民國九十一年
研究生：莊惠茹
指導教授：沈寶春先生

提　要

　　本論文以兩周金文助動詞為觀察對象，針對助動詞詞組所呈現的種種現象進行討論。在第二章中，首先針對先秦漢語中的助動詞進行定名、定義及界說的工作，根據觀察，兩周金文助動詞的語法功能條件為：1.只出現在動詞或動詞性成分的前面。2.能夠進入「不…不」的雙重否定框架。3.具有動詞的全部或部分語法特點。其語義功能條件為：1.在語義上對句子表述的命題賦予判斷、評估等情態意念。2.所表示的情態意念既不指向句子所述及的對象（主語），也不指向對象的陳述（謂語）。在本章中，並針對助動詞於先秦典籍及古文字中的使用狀況，做了一概要性的描述。

　　筆者依兩周金文助動詞的詞義特性，將之區分成可能、意願及應該三大類，並分別於第三、四章進行討論。討論的重點著眼於助動詞與動詞結合成的詞組現象，每個助動詞先進行釋形釋義的工作，再依時代順序討論各個助動詞詞組。第五章綜合比較了兩周金文與甲文、先秦典籍助動詞詞組的異同，在這樣的比較基礎下，觀察出兩周金文助動詞異於其他先秦語料的 5 點特色：1.一詞獨大。2.修飾成分多樣。3.分句句型簡短。4.否定副詞形式多樣。5.大量使用雙重否定結構。

　　透過觀察，可知先秦漢語中的助動詞乃屬實詞虛化過程中的一個詞類，其在虛化的過程中，依循「詞義引伸」及「固定語法位置」這兩個重要的實詞虛化途徑。助動詞正是適應語法不斷向精密化發展所產生的特殊詞類。

目　次

莊惠茹　通訊處：高雄縣路竹鄉中華路 81 巷 18 號
　　　　電話：07-6966306

M9103 國立成功大學中國文學研究所碩士論文

《荊釵記》在崑劇及梨園戲中的演出資料研究

中華民國九十一年

研究生：宋敏菁

指導教授：汪其楣先生

提　要

　　《荊釵記》是一部飽予藝術感染力的創作。除了諸多戲曲家評論其曲文風格「近俗而時動人」、「詞穩稱切其能守韻」，一直到今日，《荊釵記》依舊在戲曲舞台上演不輟，尤其是〈見娘〉一折的表現，已成為此劇的號召，甚至有些演員以擅演此折而聞名，更有劇團對此折進行改編的工作，增加戲劇的衝突點。此外，諸多探索南戲格律、傳奇體制等學校問題，也經常引用《荊釵記》作為論說的最佳佐證。

　　本論文主要系統說明《荊釵記》的來龍去脈，包括《荊釵記》的作者以及版本考述，並整理該劇在崑劇以及梨園戲的相關文獻記載，兼論職業劇團的表演情況，最末則以表演號召一見娘為例，論述分析崑劇以及梨園戲的表演藝術。

關鍵詞：荊釵記　崑劇　梨園戲　見娘

目　次

宋敏菁　通訊處：台南市公園路 681 巷 6 弄 25 號
　　　　電話：06-2818666、06-2523791

M9104 國立成功大學中國文學研究所碩士論文

《同文鐸》音系研究

中華民國九十一年

研究生：穆虹嵐

指導教授：李添富先生

提　要

　　《同文鐸》，明末呂維祺音韻學著作《音韻日月燈》三種書之一，成書於明崇禎癸酉六年（A.D.1633）。呂維祺希望藉著這套韻書建構一套標準的語音系統，以期達成語音統合的目的。然而這套音系的內容與性質究竟爲何？目前尚未見有全面性的研究，是以本文即將《同文鐸》作一全面性的剖析與討論，釐清《同文鐸》的音系內容，確認《同文鐸》的音系性質，並透過此書的討論，增加對明代音韻學研究狀況及明末官話的認識。

　　《同文鐸》爲一套新舊綜合的語音系統，在一部韻書中同時呈現古今兩種語音系統，顯示呂維祺有意地要「熔古今音爲一爐」，所以如此，大概是爲了達成《同文鐸》書名所表達的「暢同文之化，振覺世之鐸」的語音統合之創作目的。

關鍵詞：同文鐸　音韻日月燈　呂維祺　明末官話　近代音

目　次

穆虹嵐　通訊處：台中縣大里市仁美路9號
　　　　電話：04-24913728

M9105 國立成功大學中國文學研究所碩士論文

蘇轍史論文研究

中華民國九十一年
研究生：郭宗南
指導教授：張高評先生

提　要

　　當前兩岸古文研究，遠較其他文類稀少，史論文之探討則更爲單薄，而在三蘇學術領域中，有關蘇轍之專論亦遠不及蘇軾豐富，其深度與廣度仍有待開發。本篇即針對以上薄弱環節予以補強，嘗試建立蘇轍古文作品中，史論一隅之特色。研究材料主要以《欒城後集・歷代論》四十五篇，《欒城應詔集・進論》二十五篇、〈試論〉一篇，以及《古史》八十篇論贊，共計一百五十一篇史論爲核心，研究範圍主要針對作者家學淵源、社會發展脈絡、傳統史學流變、古文運動演進、政治制度改革、學術文化潮流、歷來研究成果等層面進行相關彙整詮釋。透過歷史研究、思維模式、史學方法、背景調查、理論建構、文獻評論等角度予以剖析。主要呈現蘇轍史論之經史思想、哲學體系、政治理念、社會關懷、人文精神等特徵。從中可釐清史論淵源及其發展，探索蘇轍史學與經術之成就，深究三蘇思想之傳承與異同，塑造北宋社會之面相與影響。由於前人於蘇轍史論之文學藝術、形式技巧已有具體研究成果，故本篇將側重義理評述與史學主張，進而爲蘇轍個人風格、三蘇學術比較、宋代文化解讀乃至中國傳統思想等提出部分側面，以供讀者參考。

目　次

郭宗南　通訊處：彰化縣大村鄉美港村橫巷 13-5 號
　　　　　電話：04-8520050

M9106 國立成功大學中國文學研究所碩士論文

《史記》「太史公曰」之義法研究

中華民國九十一年
研究生：林珊湘
指導教授：張高評先生

提　要

　　本論文針對《史記》一百三十四則「太史公曰」之內容作研究，闡發其「義法」。「義」，指的是司馬遷於「太史公曰」中，所體現的學術思想、創作精神，以及褒貶的標準；「法」，指的是「太史公曰」文章創作的法則、結構，以及藝術技巧。

　　第壹章，敘述「太史公曰」之編纂旨趣及其流變；第貳章，介紹「太史公曰」創作之文化背景。第參章，分析「太史公曰」之作用與特色，筆者綜合前人研究成果，繼續作深入探討。在第肆、第伍章中，筆者嘗試發現「太史公曰」裡，所體現司馬遷主要的學術思想－黃老與儒家，此爲「義」的部分；第陸章剖析「太史公曰」文章的藝術表現，亦即其形式技巧，此爲「法」的部分；第柒章主要就歷史評論與文學兩方面，說明「太史公曰」對後世之影響，然「太史公曰」之影響並非僅止於此，其它如史評類文章、詠史詩、碑誄、小品文等方面都有待發掘，現代極短篇之創作亦能從中得到借鏡。第捌章總結全論文之重點，闡明「太史公曰」之「義法」，及其在經學、史學以及文學方面之成就。

　　本論文備有附錄二則，其一爲司馬遷遊蹤圖，再者爲《史記》「太史公曰」全文檢索，供讀者與本文相互參照。

關鍵詞：史記　司馬遷　太史公曰　論贊　義法

目　次

林珊湘　通訊處：台南縣永康市永春街20巷19號
　　　　電話：06-2330126

M9107 國立成功大學中國文學研究所碩士論文

倪匡及其衛斯理系列科幻小說研究

中華民國九十一年
研究生：黃惠慎
指導教授：吳達芸先生

提　要

　　倪匡(1935-)，這位出生於中國大陸，於六〇年代崛起於香港、八〇年代科幻作品盛行於港台、九〇年代隱居美國，至今仍持續創作的科幻小說家，其自一九七八年開始在台灣發表科幻作品，即受到廣大讀者的喜愛，不僅成為台灣最受歡迎的科幻作家之一，其作品也成為台灣通俗文學上的暢銷書籍之一。所以不論在台灣的科幻文壇上，或是在台灣通俗文學的發展脈絡上，倪匡無疑佔有相當重要的地位。

　　因此，本文先從文化社會學的角度對倪匡科幻小說暢銷的程度、原因作一探究，接著從台灣科幻小說的演變歷程中，為倪匡在台灣科幻文壇上定位，再從倪匡本身的生命經驗中，去探索作家與作品之間的連結關係，並進一步從倪匡〈衛斯理系列〉科幻小說文本當中，探討分析其科幻小說內容所呈現的思想型態與藝術特色，以期對倪匡及其科幻小說有更多的認識與瞭解。

　　綜觀倪匡的科幻小說，雖是屬於文化工業產銷模式下的通俗小說，然而在其中卻呈現倪匡個人深刻的人生、社會觀照，往往有發人省思的深刻意涵，實不應輕易忽視。除此之外，他亦展現不凡的寫作技巧，科幻小說中曲折離奇的情節、人物形象的塑造、語言的生動……等，往往都是使讀者沉浸在科幻世界裡的藝術特色，能吸引讀者目光的魅力所在。從他的科幻小說作品裡，讀者可以看見倪匡不斷致力於將科幻小說寫得好看的努力與實踐。而作為一種小說流派，倪匡的科幻小說無疑是中國通俗文學百花園中，一朵頗具異朵的花朵。

關鍵字：倪匡　科幻小說　衛斯理系列　通俗文學

目　次

黃惠慎　通訊處：彰化縣和美鎮四張里 12 鄰平原路 111 號
　　　　電話：04-7557338　　手機：0912646246

M9108 國立成功大學中國文學研究所碩士論文

太原孫氏的家學與家風

中華民國九十一年
研究生：吳心怡
指導教授：江建俊先生

提　要

　　太原孫氏家族在魏晉時代扮演著不可或缺的角色。孫資活躍於曹魏，時人以「雞棲樹」視之；孫楚為西晉之文才，作〈征西官屬送於陟陽候作詩〉獲得何焯「舉世推高」與沈約「正以音律調韻，取高前式」的美讚；而孫盛〈易象妙於見形論〉，引發清談《易》學的論戰。〈老聃非大賢論〉、〈老子疑問反訊〉所代表的反玄思想，更是直接挑戰老、莊的權威地位。孫盛另作有《魏氏春秋》與《晉陽秋》，在東晉史學蓬勃發展的年代，具有相當的意義，《晉書》本傳稱《晉陽秋》「詞直而理正」，可稱為「良史」；至於孫綽，則是建立了東晉玄言詩的詩人地位。以上的論述，雖只是一言半句的評論，卻可從中探尋蛛絲馬跡，給予太原孫氏家族一整體的地位與評價。

　　本論文嘗試從史學、哲學與文學等領域出發，去呈現太原孫氏家族多彩多姿的樣貌，並探求其家學與家風，以建立完整的太原孫氏的家族學。

關鍵詞：家學　家風　孫綽　孫盛　易象妙於見形論　晉陽秋

目　次

吳心怡　通訊處：台中縣太平市宜欣里富宜路 36 號
　　　　　電話：04-22774655

M9110 國立成功大學中國文學研究所碩士論文

魏晉遊覽賦研究

中華民國九十一年
研究生：陳玉真
指導教授：廖國棟先生

提　要

　　遊覽賦是魏晉時代蓬勃發展的題材，但魏晉遊覽賦的興起，並非偶然。首先是受到前代文學的沾漑浸潤，從《詩經》遊樂山水意識的初萌，進而屈賦中旅遊體驗的擴大，到宋玉〈高唐賦〉奠定遊覽賦的基礎，發展爲漢代多重的遊觀方式，都予魏晉遊覽賦以豐富的滋養。

　　魏晉遊覽賦在景觀描繪方面，力求把握賦體描繪之本質，對景物作如實而真切的描狀。賦家除了以親歷身遊的體驗移之於作品外，還得力於魏晉遊覽賦家審美觀照的多樣性，因此能從各種不同的角度刻畫出各式景觀的樣貌。

　　魏晉賦家在遊覽賦中所表現的情感，更是豐富廣博。在遊覽之際所興發的山水情懷，不僅體現了時人遊樂山水的歡樂，亦不忘歌頌自然山水的壯偉神麗，進而描寫遊覽山水所得到的體道暢神的超凡體驗。在歷史情懷方面，賦家表現出對現實社會政治的關注，對歷史治亂興廢的深沉反思，並進而思索探求整體人類命運的意義，具有悲天憫人的情懷。在個人情懷上，賦家盡情地抒發思鄉懷歸之情，以及時代造成的不遇之嘆、失志之悲，而對生命的消逝寄予無限的同情悲傷，體現出時代的悲情特徵。

　　遊覽賦在魏晉這樣一個「混亂」、「苦痛」的時代，可說是賦家們精神「自由」、「解放」之後，所創作出最富有時代藝術精神的作品。因此，對魏晉遊覽賦的研究，不僅對擴賦文學題材研究之發展有助益，特別是賦家在遊覽山水或人文景觀之際所興發的情懷，更可藉以深入了解魏晉賦家遊觀時的心理趣向或審美趣味，以及由此反映出的社會現象與時代心理，所以魏晉遊覽賦的研究特別具有時代意義。

目　次

陳玉真　通訊處：台南市南區北安路 2 段 147 巷 23 號
　　　　電話：06-2596186

M9111 國立成功大學中國文學研究所碩士論文

臨水夫人故事與信仰研究

中華民國九十一年
研究生：王雅儀
指導教授：王三慶先生

提　要

　　近來由於性別意識的抬頭，女性主義、女性議題與女神信仰等相關研究在學界蓬勃興起。在女神信仰方面，除了觀音、媽祖、王母娘娘之外，臨水夫人陳靖姑亦為民間相當著名的一位主掌生育與兒童保護的女神。

　　本論文藉著元、明、清、民國以來的地方史料與文學作品為範疇，討論臨水夫人陳靖姑的傳說故事與信仰的來源、演變及發展，並分析陳靖姑在民間傳說中所呈現出的女神形象：具有生育神的神能，與具有降妖伏魔的武身特質。除此外，也配合台南市臨水夫人媽廟的楹聯、匾額等藝文呈現，討論臨水夫人陳靖姑的傳說故事與信仰在台南市所呈現出的風貌。

　　透過本論文的討論，當可以針對下列主題有所瞭解：一、臨水夫人信仰的形成，二、臨水夫人職司的轉變、三、臨水夫人故事的發展與特色、四、註生娘娘意義的呈現、五、台南市臨水夫人寺廟的藝文呈現。

關鍵詞：陳靖姑　臨水夫人　註生娘娘　女神　楹聯

目　次

王雅儀　通訊處：台南市鹽埕路 291 巷 41 弄 29 號
　　　　電話：06-2614235

【附表一】：國立成功大學中國文學研究所歷年博士論文分類表

分類	論文題目	作者	畢業學年度	指導教授
甲、思想				
明代	劉蕺山哲學思想研究	陳立驤	91	唐亦男
清代	陸世儀對道學工夫的體悟	莊進宗	90	宋鼎宗
近代	殖民地臺灣文化統合與臺灣傳統儒學社會（1895-1919）	川路祥代	90	宋鼎宗
乙、文學				
古典詩	李商隱詩用典析疑	吳榮富	90	梁冰枬
文學理論	明末清初詩詞正變觀研究一以二陳、王、朱為對象之考察	陳美朱	89	廖美玉
臺灣文學	戰後跨語一代小說家及其作品研究	余昭玫	90	吳達芸
	日據時期台灣小說思想與書寫模式之研究（1920-1937）	賴松輝	90	呂興昌
	台灣精神的回歸：六、七○年代台灣現代詩風的轉折	阮美慧	90	呂興昌

【附表二】：國立成功大學中國文學研究所

歷年碩士論文分類表

分類	論文題目	作者	畢業學年度	指導教授
甲、經學				
易經	熊十力平章漢宋研究－以《易》為例	莊永清	82	唐亦男 宋鼎宗
詩經	詩經關雎篇之研究	吳萬鐘	79	葉政欣 黃永武
尚書	尚書袁氏學記	莊進宗	80	宋鼎宗
春秋	清儒規正杜預《春秋經傳集解》研究	蕭淑惠	86	宋鼎宗
	張洽《春秋集註》研究	黃智群	89	宋鼎宗
左傳	《左傳》敘戰的資鑑精神研究	陽平南	87	張高評
	語用學與《左傳》行人辭令	陳致宏	88	張高評
論語	清代常州學派論語學研究－以劉逢祿、宋翔鳳、戴望為例	陳靜華	82	宋鼎宗
孟子	戴震孟子學研究	柯雅卿	84	唐亦男
	王安石與北宋孟子學	施輝煌	88	宋鼎宗
乙、語言文字學				
文字學	秦書隸變研究	謝宗炯	77	周行之
	惠棟讀說文記研究	闕育鈴	78	黃競新
	王國維之甲骨學	郭芬茹	79	黃競新
	訓蒙字俗呼初探	金德彬	79	周行之
	甲骨文中所見之天神資料研究	黃淑雲	80	黃競新
	甲骨文形聲字形成過程研究	權東五	80	黃競新
	殷代卜辭中所見田獵方法考	沈銀河	82	黃競新
	殷商甲骨文「于」字用法研究	梁萬基	82	黃競新
	宋國青銅器彝銘研究	潘琇瑩	82	周行之

	日本國字研究	松田貴美人	84	謝一民
	《說文》形聲字構造理論研究	劉雅芬	86	李添富
	說文解字形聲考辨及統計	莊舒卉	88	謝一民
	《戰國策》鮑姚二本通假字研究	黃素芳	88	李添富
	段玉裁《說文解字注》「淺人說」探析	黃淑汝	89	李添富
	《說文解字》指事象形考辨	晏士信	89	謝一民 沈寶春
	殷周金文形聲字研究	宋鵬飛	90	沈寶春
聲韻學	《等韻精要》音系研究	宋珉映	82	謝一民 竺家寧
	《全明傳奇》合韻現象研究－以蘇滬嘉地區作品為研究範疇	趙德華	82	李添富
	《本韻一得》音系的研究	林金枝	83	竺家寧
	蒙古字韻音系研究	楊徵祥	84	李添富
	圓音正考研究	郭忠賢	89	李添富
	徐鑑音沠研究	彭志宏	89	竺家寧
	《同文鐸》音系研究	穆虹嵐	91	李添富
語法學	甲骨文句型類比研究	曾德宜	76	黃競新
	《詩經》疊詠體研究－字詞改換與意義變化的關係	吉田文子	89	施炳華
	《景德傳燈錄》疑問句研究	李斐雯	89	竺家寧
	殷周金文助動詞詞組研究	莊惠茹	91	沈寶春
語言學	溫庭筠之語言風格研究－從顏色字的使用及其詩句結構分析	許瑞玲	81	竺家寧
	杜甫晚年七律作品語言風格研究	吳梅芬	82	竺家寧
	黃庭堅律詩的語言風格研究－以詞彙的運用現象為例	吳幸樺	84	竺家寧 張高評
	《西遊記》詞彙研究－論擬聲詞、重疊詞、派生詞	楊憶慈	85	竺家寧
	漢代詞書與社會文化	陳芬琪	86	竺家寧
	《兒女英雄傳》詞彙研究－論重疊詞、派生詞和熟語	陳文祥	86	竺家寧

丙、史學

史記	史記悲劇人物與悲劇精神研究	蔡雅惠	89	張高評
	《史記》「太史公曰」義法研究	林珊湘	91	張高評
傳說	與鄭成功有關的傳說研究	蔡蕙如	79	胡萬川 吳達芸
	望夫石傳說研究	石麗貞	87	王三慶
	岳飛故事研究	張清發	88	王三慶
	臨水夫人故事與信仰研究	王雅儀	91	王三慶

丁、思想

先秦	孟子內聖外王思想之研究	林翠芬	80	閻振瀛
	荀學對日本的影響	川路祥代	83	宋鼎宗
	先秦儒家政治理論研究	李宗定	86	林朝成
	《莊子》的生命體驗與倫理實踐	孫吉志	89	林朝成
魏晉	從「綜核名實」到「崇本息末」－漢魏思想之轉折與重構	王秀如	82	江建俊
	西晉之理想士人論	陳美朱	83	江建俊 陳昌明
	魏晉反玄思想論	陳惠玲	86	江建俊
	北魏諸帝對佛教的態度及其管理政策之研究	連秋惠	86	林朝成
	由「適性安命」到「達生肆情」－西、東晉士人應世思想之轉折	王岫林	87	江建俊
	袁宏之生平與學術研究	楊曉菁	88	江建俊
	魏晉尚達之風研究	李虹瑩	89	江建俊
	太原孫氏的家學與家風	吳心怡	91	江建俊
唐	成玄英《道德經義疏》研究	林佳蓉	86	林朝成
宋	李覯生平及其富國思想之研究	胡文豐	77	葉政欣
	張載讀書論研究	黃美珍	89	祝平次
明	《四書蕅益解》研究	羅永吉	83	林朝成
	羅祖《五部六冊》與佛教禪學	張嘉慧	88	林朝成
	雲棲袾宏護生思想普化與實踐的呈現脈絡	李雅雯	90	林朝成

	從出世到入世—湛若水對「學宗自然」之闡釋	張佑珍	91	祝平次
清	王先謙《荀子集解》研究	黃聖旻	85	宋鼎宗
	清代臺灣學校教育與儒學教化研究	林孟輝	87	宋鼎宗 林朝成
近代	唐君毅論道德理性與生死觀之研究	施穗鈺	85	林朝成
	張深切《孔子哲學評論》研究	黃東珍	88	宋鼎宗
其它	文殊師利菩薩本願研究	黃靖芠	87	林朝成

戊、文學

古典詩	南明遺民詩集敘錄	許淑敏	76	黃永武
	曾幾茶山集研究	吳榮富	77	黃永武
	蘇軾生平及其嶺南詩研究	張尹炫	77	張高評
	韓駒詩箋注	蔡美端	78	黃永武
	范成大山水田園詩研究	林天祥	79	張高評
	蘇軾禪詩研究	朴永煥	80	張高評
	丘逢甲嶺雲海日樓詩鈔研究	徐肇誠	81	呂興昌
	北宋詠史詩探論	陳吉山	81	張高評
	南宋詠史詩研究	季明華	81	張高評
	南宋四大家詠花詩研究	蕭翠霞	81	張高評
	蘇軾題畫詩藝術技巧研究	戴伶娟	82	張高評
	蘇軾「以賦為詩」研究	鄭倖朱	82	張高評 廖國棟
	北宋四大家理趣詩研究－以蘇、黃、二陳為例	鍾美玲	83	張高評
	宋代詠茶詩研究	石韶華	83	張高評
	形神理論與北宋題畫詩	林翠華	85	張高評
	晚唐諷刺詩研究	劉幸怡	86	廖美玉
	曹植詩歌與楚辭關係之研究	張忠智	86	陳怡良
	唐代俠詩歌／小說之行俠主題研究	楊碧樺	89	廖美玉
	魏晉南北朝五言詩擬作現象研究	徐千雯	90	廖美玉
唐宋詞	北宋夢詞研究	趙福勇	83	王三慶

	《花間集》女性敘寫研究	王怡芬	87	王三慶 廖美玉
辭賦	洪興祖《楚辭補注》研究	李溫良	82	陳怡良
	曹植詩賦研究	吳明津	82	廖國棟
	屈原與楚文化研究	黃碧璉	84	陳怡良
	東漢辭賦與政治	何于菁	86	廖國棟
	《牡丹亭》曲辭運用賦體技巧之研究	張美慧	86	廖國棟
	東晉辭賦主題研究	鄭雅文	87	廖國棟
	建安辭賦主題意識研究	陳燕婷	87	廖國棟
	潘岳、陸機辭賦之比較研究	殷念慈	87	廖國棟
	魏晉遊覽賦研究	陳玉真	91	廖國棟
古文	晚唐諷刺小品文研究	陳莞菁	88	廖美玉
	蘇轍史論文研究	郭宗南	91	張高評
古典小說	清代紅樓夢繡像研究	王月華	80	吳達芸 康來新
	《搜神記》與《嶺南摭怪》之比較研究	林翠萍	84	林翠萍
	根據三言二拍一型見證傳統的女性生活	陳國香	86	王三慶
	唐代小說中他界女性形象之虛構意義研究	陳玉萍	87	廖美玉
	諧鐸研究	陳秀香	88	王三慶
古典戲曲	元雜劇中的通俗劇結構	吳姍姍	85	馬森
	《荊釵記》在崑劇及梨園戲中的演出資料研究	宋敏菁	91	汪其楣
現代戲劇	西方悲劇理論在中國戲曲批評中的應用－以元雜劇《趙氏孤兒》為例	林妙勳	79	馬森
	復興閣皮影戲劇本研究	陳憶蘇	80	馬森
	老舍劇作《茶館》研究	申正浩	83	馬森
	楊逵戲劇作品研究	林安英	86	馬森 石光生
	高文舉故事研究	廖秋霞	86	王三慶 施炳華

	南管音樂文化研究－由歷史向度、社會功能與美學體系談起	陳衍吟	87	施炳華 王三慶
	賴聲川集體即興創作的來源與實踐	蔡宜真	88	馬森
敦煌學	敦煌俗文學十六篇研究	王玫珍	76	黃永武
	敦煌寫本高適詩研究	施淑婷	76	黃永武
	敦煌寫卷書法研究	焦明晨	78	黃永武
	敦煌寫本張敖書儀研究	黃亮文	85	王三慶
詩畫	文同詩畫之研究	賴麗娟	77	張高評
文學理論	方東樹詩學源流及其美感取向之研究	郭正宜	81	林朝成
	《淮南鴻烈》文學思想研究	唐瑞霞	83	陳昌明
	錢鍾書神韻觀之研究	鄭如秀	87	林朝成
	禪宗與宋代詩學理論	林湘華	87	張高評
	六朝物色觀念研究	林莉翎	88	陳昌明
	王船山詩學理論新探	翁慧宏	88	林朝成
	活法與宋詩	鄭倖宜	89	張高評
	翁方綱肌理說研究	楊淑玲	90	陳昌明
	「神韻」詩學譜系研究－以王漁洋爲基點的後設考察	黃繼立	90	廖美玉
書法理論	魏晉南北朝書論研究	莊千慧	87	陳昌明
美學	徐復觀美學思想研究	鄭雪花	83	唐亦男 林朝成
	高友工對中國傳統美學的現代詮釋	臧蒂雯	87	林朝成
	模擬、動作、境界之研究－以姚一葦《藝術的奧祕》爲中心	林秋芳	85	林朝成
臺灣文學	七等生文體研究	廖淑芳	78	馬森
	陳映真小說研究－以盧卡奇理論爲主要探討途徑	羅夏美	78	馬森
	葉石濤及其小說研究	余昭玫	78	吳達芸
	李喬《寒夜三部曲》研究	賴松輝	79	呂興昌

台灣日據時期短篇小說中的女性角色	丁鳳珍	84	林瑞明 吳達芸
紮根泥土的青年作家－洪醒夫及其文學研究	陳錦玉	84	林瑞明 陳昌明
家，太遠了－朱西甯懷鄉小說研究	楊政源	85	馬森
高陽歷史小說《胡雪巖三部曲》研究	高若蘭	85	馬森
台灣南社研究	吳毓琪	86	陳昌明 施懿琳
林亨泰新詩研究	柯夌伶	87	陳昌明
八〇年代以降台灣女詩人的書寫策略	劉維瑛	88	呂興昌 吳達芸
日本時代在臺日本詩人研究－以伊良子清白、多田南溟漱人、西川滿、黑木謳子爲範圍	藤岡玲子	88	陳昌明
林宗源及其詩作研究	廖慧萍	88	呂興昌
七等生書信體小說研究	葉昊謹	88	吳達芸 呂興昌
嚴歌苓小說主題研究	徐文娟	88	陳昌明
蕭颯及其小說的三種主題研究	吳亭蓉	90	吳達芸
陳逢源之漢詩研究	李貞瑤	90	施懿琳
倪匡及其衛斯理系列科幻小說研究	黃惠慎	91	吳達芸
民俗學 詠植物詩中吉祥觀初探	鍾宇翡	78	黃永武
傳統吉祥圖案的意象研究	王之敏	89	胡紅波

【作者姓名索引】

【國立成功大學中國文學系簡介】

本系沿革

本系創立於民國四十五年，並於五十六年起設立夜間部；七十四年增設歷史語言研究所，其中語文組的課程，由本系規劃，亦由本系老師授課，實近於一般中文研究所，為日後研究所的規模，定下一個大致的基礎。民國八十年正式設立中國文學研究所碩士班，八十四年增設中國文學研究所博士班。八十六年夜間部轉型為進修推廣部，九十年奉准成立在職進修碩士班。

修業年限及畢業學分

大學部修業年限四年，畢業學分136學分。

其中包括：核心科目16學分、通識教育14-16學分、專業必修58學分、專業選修至少46學分以上；學生可依個人性向及客觀因素，在課程方面作彈性選修。

中文研究所碩士班修業年限一至四年，畢業學分為38學分。

其中包括：漢學英文0學分、學術討論0學分、論文6學分、專業選修至少32學分以上。

中文研究所博士班修業年限二至七年，畢業學分為36學分。

其中包括：第二外語0學分、學術討論0學分、論文12學分、專業選修至少24學分以上。

年度課程及畢業學分

(一)大學部（包括進修部）

畢業學分規定 136 學分，包括：

1. 核心科目 30－32 學分
2. 專業必修科目 58 學分
3. 專業選修科目至少 46 學分以上

1.核心科目(30－32學分)

學　年	科目代號	科　目　名　稱	學　分 上學期	下學期
一	B115010	國文(一)(二)	3	3
一	B117700	中憲與國家發展	2	
一	B110710	英文(含口語訓)(一)(二)	2	2
一	B114320	歷史		2
一	B110110	軍訓(一)(二)	0	0
一	B117910	服務學習(一)(二)	0	0
二	B117930	服務學習(三)	0	
二	B110330	英文(含口語訓)(一)(二)	1	1
一～二		體育	0	0
一～四		通識教育	14 - 16	

2.專業必修科目（58 學分）

學　年	科目代號	科　目　名　稱	學　分	
			上學期	下學期
一	B111110	國學導讀(一)(二)	2	2
一	B111210	文學概論(一)(二)	2	2
二	B120310	文字學(一)(二)	3	3
二	B121110	歷代文選及習作(一)(二)	3	3
二	B121210	詩選及習作(一)(二)	3	3
二	B121410	中國文學史(一)(二)	3	3
三	B131210	詞曲選及習作(一)(二)	3	3
三	B131310	聲韻學(一)(二)	3	3
三	B131910	現代小說欣賞及習作(一)(二)	2	2
四	B140810	現代戲劇欣賞及習作(一)(二)	2	2
四	B141410	中國思想史(一)(二)	3	3

3.專業選修科目（至少任選44學分以上）

學　年	科目代號	科　目　名　稱	學　分	
			上學期	下學期
一	B111310	論語孟子(一)(二)	2	2
一	B111410	史記(一)(二)	2	2
一	B111510	現代散文欣賞及習作(一)(二)	2	2
一	B132610	古典戲曲(一)(二)	2	2
一	B120110	語言學導論(一)(二)	2	2
一	B122510	計算機概論(一)(二)	2	2
一	B143310	圖書館資料研習(一)(二)	2	2
一	B122210	書法(一)(二)	2	2
一	B112110	國畫賞析與習作 (一)(二)	2	2
一	B132910	民間文學及其田野調查(一)(二)	2	2
一	B120600	戲劇制演	2	
二	B122010	左傳(一)(二)	2	2
二	B131110	韓非子(一)(二)	2	2
二	B142310	俗文學(一)(二)	2	2
二	B120510	現代詩欣賞及習作(一)(二)	2	2
二	B111710	讀書指導(一)(二)	2	2
二	B121810	禮記(一)(二)	2	2
三	B130410	周易(一)(二)	2	2
三	B131710	詩經(一)(二)	2	2
三	B133210	楚辭(一)(二)	2	2
三	B130210	老莊(一)(二)	2	2
三	B130710	六朝文(一)(二)	2	2

三	B132710	中國佛學概論(一)(二)	2	2
三	B140510	蘇東坡詩(一)(二)	2	2
三	B140210	臺灣文學(一)(二)	2	2
三	B142410	敦煌學(一)(二)	2	2
三	B132110	中國戲曲史(一)(二)	2	2
三	B140110	閩南語研究(一)(二)	2	2
四	B130110	陶謝詩(一)(二)	2	2
四	B130200	章法學	3	
四	B140910	訓詁學(一)(二)	2	2
四	B141510	傳奇劇本選讀(一)(二)	2	2
四	B140410	李白詩(一)(二)	2	2
四	B141610	中國古典小說(一)(二)	2	2

(二)研究所

　A．碩士班

　　畢業學分規定 38 學分，包括：

　　1.論文 6 學分

　　2.專業選修科目至少 32 學分以上

碩士班必修科目（6 學分）

學　年	科目代號	科　目　名　稱	學　　分	
			上學期	下學期
一	k171310	漢學英文(一)(二)	0	0
一	k160810	學術討論(一)(二)	0	0
三	K160500	專題討論(一)(二)	0	0
		論　文	6	

　B．碩士在職專班

　　畢業學分規定 38 學分，包括：

　　1.論文 6 學分

　　2.專業選修科目至少 32 學分以上

碩士在職專班必修科目（6 學分）

學　年	科目代號	科　目　名　稱	學　　分	
			上學期	下學期
一	K15080	學術專題討論	0	0
三		專題討論	0	0
		論　文	6	

　C．博士班

　　畢業學分規定 36 學分，包括：

　　1.論文 12 學分

　　2.專業選修科目至少 24 學分以上

博士班必修科目（12 學分）

學　年	科目代號	科　目　名　稱	學　分	
			上學期	下學期
一		第二外語(一)(二)	0	0
一	k160810	學術討論(一)(二)	0	0
三	K160500	專題討論(一)(二)	0	0
		論　文	1 2	

研究所專業選修科目：(碩博士班)

　1. 碩士班專業選修科目（至少任選 32 學分以上）

　2. 博士班專業選修科目（至少任選 24 學分以上）

學　年	科目代號	科　目　名　稱	學　分	
			上學期	下學期
碩	K150310	戲劇專題研究(一)(二)	2	2
博	K170400	詩話專題研究	3	
博	K170510	現代戲劇專題研究(一)(二)	2	2
碩博	K153110	詞彙學(一)(二)	2	2
碩博	K172510	中國文學史專題研究(一)(二)	2	2
碩博	K160110	魏晉南北朝思想專題研究(一)(二)	2	2
碩博	K160210	古音學研究(一)(二)	2	2
碩博	K180900	漢魏六朝文學理論	3	
碩博	K152410	漢學日文(一)(二)	0	0
碩博	K152210	詩經學專題研究(一)(二)	2	2
碩博	k151110	中國經學史研究(一)(二)	2	2
碩博	K171210	中國詩學專題研究(一)(二)	2	2
碩博	K172400	臺灣古典詩人專題	3	
碩博	K160700	民間文學理論研究	2	
碩博	K152910	中國古典小說專題(一)(二)	2	2
碩博	K180410	臺灣劇場專題研究(一)(二)	2	2
碩博	K160910	詞學專題研究(一)(二)	2	2
碩博	K172710	數術學專題研究(一)(二)	2	2
碩博	K172910	民俗學專題研究(一)(二)	2	2

在職碩士班專業選修科目（至少任選 32 學分以上）

班　級	科目代號	科　目　名　稱	學　分	
			上學期	下學期
碩一二	K151800	老莊思想專題研究	2	
碩一二	K172511	中國文學史專題研究	2	
碩一二	K171911	賦學專題研究	2	
碩一二	K152300	現代詩專題研究	2	
碩一二	K160511	古典小說專題	2	

學習重點

本系所教學特色大抵規劃為三大重點：

甲、國文教學之創意與設計：

(1)執行教育部「提升大學基礎教育計劃--國文科數位教學博物館」計劃，以改善傳統之國文教學，開啟創意，激盪潛能，期待建立一個全方位的華文數位教學網站。

(2)持續修訂《大學文選》，以切合時勢需求，另規劃籌編各種教學參考資料。同時注重寫作、編輯、採訪、表演、電腦文書處理、書法、繪畫等實用及美感課程之訓練。

(3)在多元化之教學目標中，兼顧傳統與現代，理論與實踐，研究與創作，以達到豐碩圓滿為目的。期使學生具備創意思考、學以致用、獨力研究的能力。

乙、教學研究之深化與廣化：

(1)本系設有八大專題研究室，即唐宋文學、敦煌學、魏晉南北朝、儒學、現代文學、宗教與文化、戲劇學、國文教學研究室等，負責帶動全系的教學與研究。由各研究室向國科會申請專題研究計劃，榮獲審查通過者，已有數十案，已分別執行完成。今後將持續申請各種專題計畫，以維持研究水準。

(2)在提昇教學品質方面，有「國文科數位教學博物館」、「中古(魏晉—唐宋)文學與思想」、「敦煌文學及研究論著」三大計畫，積極進行網路建構。

儒學研究室除籌畫研討會、工作坊，有助教學相長外，並創辦學報，提出「儒學與禪學」跨校院綜合研究計劃。

宗教與文化研究室將持續舉辦讀經活動，召開座談會，發行學報，舉辦學術研討會，並提出「東方宗教與文化」跨校院綜合研究計劃。

戲劇研究室積極爭取充實專業表演教室設備及相關器材，收集相關有聲及影像資料，督導「鳳凰劇展」演出，洽接國內外表演藝術家來校講學或示範演出。

現代文學研究室擬與臺灣文學館等單位合作，持續收集現代作家資料，建構(紙本及網路)教學資料庫；與臺文所合作，舉辦教學及研究研討會、讀書會與座談會。

(3)透過國科會、中華發展基金會、及域外結盟大學之交流，禮聘專家學者來系開課講學，以拓展學術視野，借鏡專業優長。

丙、文學創作之訓練與觀摩：

(1)本系重視學生對各種文體寫作能力之訓練，將持續定期舉辦「鳳凰樹文學獎」，以鼓勵學生寫作；舉辦「鳳凰劇展」，以驗證戲劇理論。定期出版《文心》、《雲漢學刊》，作為同學發表創作成果及研究心得之園地。

(2)為使同學對於文學創作能有更深一層的體會,舉辦「蘇雪林教授學術文化講座──駐校作家系列活動」,已先後邀請當代著名作家亞弦、黃春明、黃美序、傅大為、鍾肇政、楊牧等人,暢談創作理念、靈感來源及心路歷程。未來將配合「蘇雪林文教基金會及「成大講座」之活動,禮聘學藝專精之專家學者或文藝作家演講,以激發學生對文學創作、欣賞、批評之興味。

學術研究

(1)本系將持續申請及執行多項國科會、文建會、中華發展基金會、蔣經國基金會、文資中心等專題計畫,並定期舉行學術研討會,整合人力資源,進行跨領域研究。出版《成大中文學報》、《宋代文學研究叢刊》;並規劃創立唐代文學、魏晉南北朝、宗教與文化等專業學刊,促進學術交流,交換研究心得。

(2)本系中長程發展計畫,規畫現代文學、中古學術、古籍整理三個研究中心;整合系內現有人力資源,凸顯系所未來發展特色,兼顧學術市場需求。

(3)未來擬就現有的八大專題研究室,逐步發展成為研究群及研究中心。此外,更積極推動三大上網計劃,並持續規劃蘇雪林教授日記等未刊稿之編印與研究。

(4)為切磋心得,交流學術,本系已舉辦宋詩、宋代文學、魏晉南北朝文學與思想、唐代文化研討會,奠定本系在中古學術研究的牛耳地位。往後將以中古文學與思想學術研究為核心,形成研究群。其他斷代學術或可輻輳於中古學術,作影響史、接受史、效果史、乃至流變史之研究。

(5)研究成果,學習心得出版方面:經常性出版,由教師主編、審稿的有《成大中文學報》,《宋代文學研究叢刊》;博、碩士研究生論文發表之《雲漢學刊》;大學部學生創作發表、採訪研習之《文心》。此外,出版各類學術研討會論文集、文學作品集及戲劇成果集,為促進學術流通,上列學報、學刊、論文集將持續出版印行。

學生輔導

(一)生活輔導及導師制度:

(1)本系專任講師以上教師均有擔任導師之義務,以之作為獎勵、升等、教師評鑑參考。系主任為系總導師,負責全系性的導師活動及協調事宜。

(2)本系日間部採小組導師與班級導師並行制,每一小組約10至16人。每班級設一位班級導師,四至五位小組導師。進修推廣部則每班委任導師一名。

(3)每學期每位學生至少應與小組導師單獨會談一次,並視情況需要增加次數。班級除召開班會外,應隨機個別指導,舉行師生座談、聯誼

或其他團體活動。

(4)導師於輔導過程中，得視情況照會系主任、系教官，亦可請求其他教師協助，或提系務會議中討論。

(5)系主任為研究生導師，與指導教授共同關懷輔導。

(二)進路規劃

(1)開設「國學研習班」，請博士生擔任教席，確實輔導學士班投考研究所。

(2)擬開設「寫作研究班」，與本系「蘭亭詩社」合辦活動，聘請校內外專家現身說法，指導研讀，以鼓勵學生發表寫作，提昇創作風氣。

(3)開設實務性課程，以增進學生技能，培植就業競爭力。

(4)有關教育學程，本系負責「國文教材教法」一科，並輔導實習試教。

本系特色

(一)注重寫作能力之養成

本系十分重視各種文體之寫作訓練，除定期舉辦「鳳凰樹文學獎」鼓勵學生寫作，舉辦「鳳凰劇展」以驗證戲劇理論外，還定期持續出版《文心》、《雲漢學刊》、《鳳凰樹文學獎得獎作品》、《鳳凰劇展成果集》等作為同學發表創作成果及研究心得之園地。除此之外，為使同學對於文學創作能有更深一層的體會。將繼續舉辦「蘇雪林教授學術文化講座—駐校作家系列活動」，激發學生更多的創作及欣賞興趣。

(二)追求研究成果之卓越

本系發展，大抵依照研究、寫作、應用三大目標進行。注意三者間的會通兼容，相濟為用，以達到相互發明為目的。本系教師專業，暫分為八大研究領域：其中敦煌學、魏晉南北朝學術及唐宋文學研究室已連接成中古研究群，略具規模，圖書資料尚稱豐富。並運用電腦科技，不斷增添各項軟體設備，執行多項國科會專題研究計劃。此外，尚有現代文學、宗教與文化、經學、戲劇、國文教學研究室等，統合研究人力，交換研究成果，本系專題研究室作為教學研究的火車頭，最有助於研究及教學之進行。

(三)發展數位網站之教學

本系未來的發展方面，除了繼續傳承固有文化，注重學術研究，鼓勵同學深造自得，注重寫作、編輯、戲劇等實用課程訓練外，並擬就現有的八個專題研究室，逐步發展成為研究群及研究中心。另外為配合資訊社會的需要，發展數位教學，期能為中國文學賦予創新的意義。

學習環境

本校位於臺南後火車站正前方，臺汽車站、統聯、和信客運亦近在咫尺，臺南機場車程三十分鐘，交通之便利，全臺稱冠。校園毗鄰相接，佔地七十餘公頃，包括光復、成功、自強、勝利、建國、敬業、力行、航太太空實驗場等八個校區。本系位於本校面積最大、環境最優美怡人的光復

校區東北側。校區內有綠草如茵的榕園,虹橋雲影的成功湖,及斜暉脈脈的西門城樓;古樸持重的中文系館,矗立其間,不禁使人油然而發思古之幽情,沛然而生文化薪傳的使命感。

畢業出路

(一)本系畢業後可報考中文、歷史、哲學、教育、臺灣文學、新聞及大眾傳播等研究所。唯大多數畢業生仍選擇在中文所繼續深造。

(二)畢業後投考本所及各大學研究所者,錄取率逐年升高,獲碩、博士學位後多任教於各大專院校,亦有逕赴國外深造留學者。

(三)本系畢業生在教育或文化界服務者最多,除任教師外,作家、編輯、記者、文書,亦所在多有。

(四)參加高普考及格而進入公家機關服務者亦不少。其他,自行創業,在商界卓然有成者亦不乏其例。

(五)中文系所學,為華夏文化之精華,像儒家的經世致用,道家的超脫曠達,禪宗的創意思維,道教的修為養生,文學的薰陶,美感的陶冶,所謂達則可以兼善天下,窮則可以獨善其身,固無適焉不可。

國家圖書館出版品預行編目資料

國立成功大學中國文學研究所碩博士論文總目提要
(1987-2003) ／張高評主編. -- 初版 -- 臺北市：
萬卷樓出版；[台南市]：成大中文系發行，2003[民
92]
　　面；　　　公分
　　含索引
　　ISBN 957－739－462－0 (平裝)
1.中國文學－摘要 2.畢業論文

016.82　　　　　　　　　　　　92021918

國立成功大學中國文學研究所碩博士論文總目提要(1987-2003)

發　行　者：國立成功大學中國文學系
主　　　編：張高評
執 行 編 輯：江建俊
編　　　輯：何美諭 胡豔惠 陳英梅 謝依婷 張瑋儀 蔡嵐婷
發　行　人：許素真
出　版　者：萬卷樓圖書股份有限公司
　　　　　　臺北市羅斯福路二段 41 號 6 樓之 3
　　　　　　電話(02)23216565‧23952992
　　　　　　傳真(02)23944113
　　　　　　劃撥帳號 15624015
出版登記證：新聞局局版臺業字第 5655 號
網　　　址：http://www.wanjuan.com.tw
Ｅ－mail　：wanjuan@tpts5.seed.net.tw
經 銷 代 理：紅螞蟻圖書有限公司
　　　　　　臺北市內湖區舊宗路二段 121 巷 28 號 4F
　　　　　　電話(02)27953656(代表號)　傳真(02)27954100
Ｅ－mail　：red0511@ms51.hinet.net
承 印 廠 商：晟齊實業有限公司
定　　　價：300 元
出 版 日 期：2004 年 6 月初版